# Cuando las Madres Oran

LA GRAN INFLUENCIA EN LA VIDA DE UN HIJO

# CUANDO LAS MADRES ORAN

Cheri Fuller

Centros de Literatura Cristiana

**CENTROS DE LITERATURA CRISTIANA**
**en los países de habla hispana**

*Colombia*: **Centros de Literatura Cristiana**
Correo Electrónico: ventasint@clccolombia.com
Bogotá
*Chile*: **Cruzada de Literatura Cristiana**
Correo Electrónico: ocomclc@cruzada.tie.cl
Santiago
*Ecuador:* **Centro de Literatura Cristiana**
Correo Electrónico: clcec@uio.satnet.net
Quito
*España:* **Centro de Literatura Cristiana**
Correo Electrónico: pedidos@clclibros.org
Madrid
*Panamá*: **Centro de Literatura Cristiana**
Correo Electrónico: clcmchen@cwpanama.net
Panamá
*Uruguay*: **Centro de Literatura Cristiana**
Correo Electrónico: libros@clcuruguay.com
Montevideo
*U.S.A.*: **C.L.C. Ministries International**
Correo Electrónico: orders@clcpublications.com
Fort Washington, PA
*Venezuela*: **Centro de Literatura Cristiana**
Correo Electrónico: clc-distribucion@cantv.net
Valencia

**CUANDO LAS MADRES ORAN** por Cheri Fuller



Editado y publicado originalmente en inglés con el título ***When Mothers Pray.*** por Multnomah Publisher inc., 204 W. Adams Avenue, PO. Box 1720, Sisters, Oregon 97759 USA. Debido a que los eventos se basan en hechos reales, algunos nombres y detalles específicos han sido cambiados para proteger las identidades.

A menos que se indique lo contrario, las citas bíblicas son tomadas de la Santa Biblia, Versión Reina Valera, 1995 © por las Sociedades Bíblicas Unidas.

Traducido al español por: Edna Nieto Horta.
Carátula diseñada por: Eduardo Nieto Horta.

ISBN 958-8217-19-9

Printed in Colombia
Impreso en Colombia

Somos miembros de la Red Letra Viva www.letraviva.com

# Dedicatoria

A Peggy Steward y Flo Perkins, a las madres y abuelas que derraman sus corazones en oración en la presencia del Señor levantando sus manos y corazón a Él por sus hijos y nietos, y a las generaciones venideras.

*Porque yo derramaré aguas sobre el sequedal, ríos sobre la tierra seca. Mi espíritu derramaré sobre tu descendencia, y mi bendición sobre tus renuevos...* (Isaías 44:3).

# Contenido

# Prólogo

Actualmente se libra una guerra, una guerra espiritual. La batalla es intensa y muy real. De manera agresiva Satanás está tratando de robar y destruir a nuestros hijos, familias, la nación, y el mundo. Aún así el cristiano tiene armas potentes contra los poderes de la oscuridad. Pablo nos recuerda en 2 Corintios 10:4: *...porque las armas de nuestra milicia no son carnales, sino poderosas en Dios para la destrucción de fortalezas....* ¿Cuáles son estas armas divinas? La Palabra de Dios, la oración y el nombre de Jesús. *Cuando las Madres Oran,* se ocupa de las madres que usan sus armas divinas. Este libro proclama de manera poderosa la victoria que es nuestra cuando oramos. Presenta historias de mujeres que no sólo leen acerca de la oración, escuchan casetes sobre la oración, y van a seminarios en los cuales hablan de la oración, sino que oran. Ellas creen la promesa de Jeremías 33:3: *Clama a mí y yo te responderé, y te enseñaré cosas grandes y ocultas que tú no conoces*. Estas mujeres se mantienen en la brecha intercediendo por otros, pues saben que sus oraciones hacen una diferencia eterna.

Este es uno de esos pocos libros que usted simplemente no puede dejar de lado porque trae esperanza, y un amor y confianza en el Señor más profundos. Estoy sumamente agradecida porque Dios puso este libro en el corazón de Cheri. Él sabía que ella capturaría los corazones de las madres que oran para plasmarlos en el papel. Su pasión, celo y compromiso personal con la oración, dan gran credibilidad al mensaje. Cheri recibió de Dios, en serio, esta tarea, y fielmente redactó sus milagros para transmitir el legado de su fidelidad, omnipotencia, soberanía y bondad cuando responde a las oraciones de sus hijos. Todo esto está plasmado en cada página.

Los corazones de las madres incluidas en este libro me tocaron tanto, que yo reí, lloré, fui inspirada, bendecida, animada y convencida, y a veces todo al mismo tiempo. Mientras leía el libro, estaba orando y ayunando por uno de mis hijos. Muchos de los versículos y los testimonios me confrontaron tanto, que debía parar y meditar en silencio en ese mismo instante. Mientras el Espíritu Santo hablaba a mi corazón, yo decía: "Sí Señor, este es el versículo que necesito en este momento", y lo escribía en mi diario, en la sección de uno de mis hijos en particular y luego oraba por él de acuerdo al versículo. El libro también contiene numerosos principios e ilustraciones que igualmente escribí en mi diario, como asuntos personales de los cuales el Espíritu Santo me convenció. Este no fue sólo un dulce tiempo de aprendizaje, sino también un tiempo durante el cual me liberé de algunas cargas.

Cheri nos acerca a las hermanas en Cristo que están alrededor del mundo. Ella nos recuerda que nuestro corazón es el mismo para nuestros hijos, y que nuestras oraciones por ellos son las mismas. Verdaderamente, en todo el mundo se escucha clamar en coro: *...Derrama como agua tu corazón ante la presencia del Señor; alza a él tus manos implorando la vida de tus niñitos...* (Lamentaciones 2:19).

Yo aprecio la forma como nos anima acerca de que no debemos llevar solas las cargas que tenemos por nuestros hijos. Madres Unidas Para Orar ofrecen una atmósfera segura, confidencial y de amor donde a través de las oraciones las cargas se hacen más livianas, se eliminan temores, se encuentra consuelo, se fomenta el amor por nuestros hijos, se desarrollan amistades profundas, y hay crecimiento espiritual. Como de manera hermosa lo expresa Cheri: "Un tiempo regular de oración semanal, con otras mujeres, puede sacarnos de la depresión, y abrir ventanas de fortaleza y oportunidades".

Deseo profundamente que usted lea este libro, el cual querrá leer una y otra vez. De manera amorosa éste nos lleva de nuevo a la verdad de que la voluntad de Dios puede ser hecha en la tierra como en el cielo, si nosotras sólo oramos. Las siguientes palabras de John Wesley son citadas con frecuencia: "Dios no hará nada en la tierra a menos que sea en respuesta a las oraciones de los creyentes". ¿Quién intercederá por nuestros hijos, familias y escuelas? ¿Quién penetrará la oscuridad con sus fervientes y persistentes oraciones? ¿Usted? Si no está orando por sus hijos, ¿quién lo hará?

> Amado Padre celestial: haz que cada persona que lea este libro tome en serio la oración como el más grande privilegio, responsabilidad y mandamiento que tenemos los cristianos, no sólo cuando tenemos deseos de hacerlo, sino también cuando no. Usa este libro para encender el corazón de las madres alrededor del mundo a fin de que te busquen, crean tus promesas y se paren en la brecha por sus hijos. Haz que las madres conozcan la promesa del Espíritu Santo acerca de que sus oraciones hacen una diferencia eterna. Haz que este libro provea la fortaleza y el ánimo que cada madre necesita para criar a sus hijos en amor y amonestación del Señor, sin desmayar. Haz que se creen miles de grupos de (Madres Unidas Para Orar) como resultado de que ellas decidan sacar tiempo de sus horarios tan ocupados para dar a sus hijos el regalo de sus oraciones. Haz que cada madre sepa que tú harás lo

imposible si ellas tan solo te lo piden. Usa este libro para tu honra y tu gloria.

Satanás no quiere que este libro sea leído, porque sabe que si la más débil de las santas se arrodilla, será derrotado. Por esto, protégelo y pónlo en las manos de toda persona que tú quieres que lo lea. Haz que cada madre sepa que no se encuentra sola en la batalla y que está del lado de los vencedores. Da ánimo a su corazón al saber que tú la amas y nunca la dejarás ni la desampararás.

Oro en el poderoso y precioso nombre de Jesús, amén.

Fern Nichols
Fundadora y Presidenta de
Madres Unidas Para Orar.

# Reconocimientos

Escribí este libro de rodillas, es decir, ¡con mucha oración! Y no lo hubiera podido terminar sin el apoyo en oración de muchas personas. Así que agradezco a todos los que trabajaron orando por este proyecto. Especialmente a Fern Nichols, fundadora y presidenta de Madres Unidas Para Orar, por su inspiración y tremendo ejemplo como intercesora y madre fiel, como también por su ayuda poniéndome en contacto con las madres que querían compartir las maravillas que Dios ha hecho en sus vidas a través de la oración. Gracias a las directivas de Madres Unidad Para Orar, especialmente a Kathy Gayheart, Debbie Khalil y Jan Peck por toda su ayuda y las oraciones durante el proceso.

Dios siempre está buscando intercesores, pero parece que particularmente en este tiempo de la historia está tratando de que se reúnan para orar. A medida que el énfasis en la oración ha aumentado, se han estado lanzando muchas campañas: AD 2000, *National Day of Prayer* (El Día Nacional de la Oración), *Two by Two Thousand* (Dos por Dos Mil), *Campus Crusade's Days of Prayer and Fasting* (Días de Oración y Ayuno de Campus Crusade), y otros. Otra parte de este movimiento de oración son las miles de madres que están orando, razón por la cual a través de este libro me refiero al ministerio de Madres Unidas Para Orar. Por décadas las mujeres se han unido en cadenas y grupos de oración para llevar sus preocupaciones a Dios. Pero creo que Madres En Contacto, en donde dos o más madres que están de acuerdo se reúnen durante una hora cada semana para orar por sus hijos y sus estudios, es una de las más poderosas formas como hoy Dios está equipando un ejército de intercesoras que oran por niños y jóvenes en Norteamérica, y en más de 85 países alrededor del mundo.

Yo les agradezco a ustedes mujeres alrededor del mundo, quienes compartieron sus testimonios sobre lo que ha ocurrido cuando ustedes han orado por sus hijos, y doy gracias a Dios por su fidelidad en la oración. Muchas gracias queridas amigas que oraron por mí, compañeras de muchos años, como: Flo Perkins, Peggy Stewart, Cathy Herndon, Cynthia Morris, Melanie Hemry, Susan y John Munkres, nuestra iglesia, Linda Merrick, Bárbara Bourne, Phama Woodyard, Bárbara James, Susan Stewart, y amigos escritores como Louise Tucker Jones, Lindsey O'Conner, y Becky Freeman. Connie Willems, gracias por tu perspicacia, preguntas y ayuda en el proceso de planear y escribir.

Estoy agradecida por las habilidades como editora de Carol Bartley. Gracias Carol, por tu entusiasmo para este proyecto, tus diferentes puntos de vista y el ánimo que me diste. Te aprecio. Y mis más sinceros agradecimientos para el comité de publicaciones de Multnomah y Don Jacobson por compartir su visión acerca de las tremendas cosas que pasan cuando las madres oran. Gracias a Greg Johnson, de *Alive Communications* por su apoyo.

Estoy agradecida por el legado de oración que recibí de mi madre, Mildred Heath Wynn, ya que fue un ejemplo de una vida fiel de intercesión por sus seis hijos y muchos nietos. Poco tiempo antes de su muerte en 1982, ella me dijo: "Después de tantos años orando al Señor por todos ustedes, ¡ahora podré verlo cara a cara y hablar con Él acerca de ustedes!" Gracias por todas tus oraciones mamá.

Estoy en deuda con mi familia por su amoroso y continuo cuidado, pero especialmente cuando se acercaban los días en que debía entregar el manuscrito. A Justin, Tiffany, Alison y Chris, qué gozo es orar por ustedes, y ver las cosas increíbles que Dios hace en sus vidas. Es un honor ser su madre, y los amo.

En verdad, no hubiera podido escribir este libro sin la ayuda de mi esposo, Holmes. Gracias por orar conmigo y por mí, por escucharme leer los capítulos, darme tus valiosos aportes, amarme, traerme comida china en la noche, y cada detalle amable que me ofreces. Eres el mejor.

*La oración respondida…*
*hace del orar un acto de vida y poder.*
*La oración respondida hace que las cosas sucedan,*
*cambia el curso natural de las circunstancias,*
*y ordena cada cosa de acuerdo*
*con la voluntad de Dios…*
*La respuesta a la oración*
*hace del orar un poder de Dios y*
*del hombre, real y divino.*
*¡Qué maravilloso poder hay en la oración!*
*¡Qué incalculables milagros hace en este mundo!*
*¡Qué indescriptibles beneficios asegura*
*para aquellos que oran!*

E. M. BOUNDS

CAPÍTULO UNO

..........

# El Corazón de una Madre...

## O ese Monstruo Maternal

*Pero Ana le respondió: -No, señor mío;*
*soy una mujer atribulada de espíritu. ...*
*he derramado mi alma delante de Jehová.*
*...porque solo por la magnitud de mis congojas y*
*de mi aflicción he estado hablando hasta ahora*
(I Samuel 1:15-16)

No podía creer lo que estaba escuchando: "Hemos hecho todo lo que podemos por su hijo". Las palabras del médico resonaban una y otra vez en mi mente. Se suponía que Justin empezaría su primer año de estudio hoy, no que estaría hospitalizado en condiciones delicadas...

Colgué el teléfono después de hablar con mi hija de 20 años, me arrodillé junto a la cama y lloré. Alison había estado desanimada por semanas, no podía dormir y se sentía desadaptada en su nueva residencia. "Me siento tan sola. No puedo relacionarme con nadie aquí..." Su voz se quebrantó, y todo lo que oí fue su llanto. Además estaba a seis horas de mí, muy lejos como para darle un abrazo o consolarla. Mi corazón estaba dolido por ella...

Cuando nuestro hijo Chris se inscribió para la clase de religión oriental en la universidad, yo no estaba sorprendida. Él siempre había sido de los que buscan respuestas en todas partes, pero no las estaba buscando en un grupo bíblico de la universidad... por lo menos no ahora. ¿Qué "verdades" estará escuchando? ¿Qué si decide negar su fe?...

Tu frágil hijo esta enfermo, otra vez.

Tu tímida y dulce hija se fue de la casa, sola y a la deriva.

Tu brillante e inquisitivo hijo está aprendiendo a pensar por sí mismo, pero buscando dirección en todas partes.

¿Suena familiar esto? ¿Tu corazón está tan dolido por tu hijo que sientes que se te va a romper? Como madres, sin importar en qué etapa del proceso estemos, ya sea experimentando el deleite y el temor de ser responsables por ese primer precioso regalo del cielo, recién nacido, o paseándonos por el nido vacío, nos preocupamos por nuestros hijos. Los abrazamos cuando están enfermos, nos dolemos cuando se sienten solos sin amigos, nos preocupamos cuando tienen problemas en el estudio, y aún más, cuando son rebeldes y toman malas decisiones. Queremos proteger, cuidar y guiar a esos hijos que literalmente cargamos por nueve meses.

Una película reciente me hizo recordar cuán fuerte es el amor de madre. En ella, una madre de siete niños está viendo a su hijo Percy, de 14 años, jugar un partido de fútbol en la escuela. Vestido con su uniforme verde y blanco, Percy toma la pelota y corre hacia el arco. Justo cuando desde la tribuna, su madre grita "¡cuidado!", Percy se estrella contra un gigante jugador del equipo contrario, quedando inconsciente en la cancha.

De manera instantánea, la madre llega a la cancha con el entrenador y los demás jugadores. Alza en los brazos a su adolescente, y frenéticamente lo carga hasta el camerino mientras el entrenador grita: "¡Un momento señora Singer!, ¡vamos a conseguir una camilla!"

Momentos después cuando el médico lo reanima con sustancias aromáticas, le pregunta al chico: "¿Cómo te llamas?"

"Persival Singer", contesta él.

"¿Quién es ella?", pregunta el médico.

Sorprendido de ver a su madre en el camerino contesta: "Mi mamá".

"Es una señora muy fuerte, ella misma te cargó desde la cancha hasta aquí", continúa el médico.

"¿Ella qué? ¿Delante de los muchachos?... ¿Como un bebé?", pregunta Percy, asombrado y humillado. Luego volviéndose hacia su madre le dice: "¿Cómo pudiste hacerlo? ¿Por qué simplemente no me dejaste allá?"

"Lo siento, no pude evitarlo", contesta ella. Cuando una mujer llega a ser madre, hay una pequeña parte de ella, ese monstruo maternal, que crece y crece como las figuras que vienen en las cajas de cereal, que aumentan hasta 300 veces su tamaño. Cuando una mujer llega a ser madre, es una norma en su vida, que ese monstruo es 300 veces más grande. "Te vi tirado ahí. Tuve miedo. Quería ir a ti para ayudar. Y ¡no podía oír ni ver nada más!"

Como madres la mayoría de nosotras nos podemos fácilmente identificar con su respuesta. Ese monstruo, ese instinto de mamá osa, empieza a surgir el primer día cuando nos convertimos en madres, y nos domina absolutamente cuando uno de nuestros hijos está herido o necesita ayuda. En verdad este poderoso corazón de madre es un regalo del Dios amoroso que sabe que los hijos necesitan mucho amor y cuidado.

Pero con el poderoso amor de madre vienen muchas otras igualmente poderosas emociones, engendradas por nuestra propia carne y sangre: temor, preocupación, frustración, ansiedad, gozo, deleite, culpa. "Nuestros hijos generan emociones intensas en nuestro corazón", dice Fern Nichols, fundadora y presidenta de Madres Unidas Para Orar. "Cuando ellos son receptivos a nosotras y al Señor, nos traen gozo, paz, armonía, y estamos contentas. Pero cuando no lo son nos traen confusión y ansiedad. Nos sentimos heridas, traicionadas y excluidas.

Sin importar en qué estado del proceso de ser madre te encuentres ahora, sin importar en qué extremo del espectro emocional estés, la pregunta es la misma para ti, para mí y para todas nosotras. ¿Cómo podemos controlar este monstruo?

## La Respuesta de Dios para Controlar el Monstruo Maternal

A través de la Biblia Dios nos dice qué debemos hacer cuando estamos ansiosas, preocupadas o angustiadas, ya sea por nuestros hijos o por cualquier otro aspecto de la vida. Él dice:

*Clama a mí y yo te responderé, y te enseñaré cosas grandes y ocultas que tú no conoces* (Jeremías 33:3).

*Echad toda vuestra ansiedad sobre él, porque él tiene cuidado de vosotros* (I Pedro 5:7).

*Congregaos y meditad... Antes que...* (Sofonías 2:1-2).

*¡Levántate, da voces en la noche... Derrama como agua tu corazón ante la presencia del Señor; alza a él tus manos implorando la vida de tus niñitos.* (Lamentaciones 2:19).

Miremos a una mujer que hizo justo lo que dicen estos versículos, porque su oración no es sólo la primera de una mujer, citada en la Biblia, sino también un patrón de oración efectiva que estaré compartiendo a través de este libro.

Al igual que la señora Singer, Ana estaba demasiado angustiada, pero por una causa diferente. Ella anhelaba profundamente un hijo, pero no podía concebir. Peor aun, la otra esposa de su marido, Penina, le había dado muchos hijos, y se burlaba de ella por su esterilidad, la cual aumentaba su dolor.

El esposo de Ana, Elcana, la amaba pero no podía entender su agonía. *Ana, ¿por qué lloras? ¿por qué no comes? ¿y por qué está afligido tu corazón?*, preguntaba. *¿No te soy yo mejor que diez hijos?* (1 S. 1:8). Los esposos, aun los más amorosos, algunas veces no entienden el corazón de una mujer, pero Dios sí.

Entonces Ana fue al templo y expuso ante Dios su necesidad, haciendo el voto de que si Él le daba un hijo, se lo dedicaría todos los días de su vida. En su gran angustia, *ella... oró a Jehová y lloró desconsoladamente* (1 S 1:6). Sus gemidos eran tan profundos en su corazón que sus labios se movían, pero no salían las palabras. Viéndola Elí, el sacerdote, la acusó de estar ebria. Ana le respondió: *No, señor mío; soy una mujer atribulada de espíritu. No he bebido vino ni sidra, sino que he derramado mi alma delante de Jehová.* Entonces Elí la bendijo y le pidió al Señor que concediera su petición. Ana salió del templo sin carga ni tristeza, y a la mañana siguiente se levantó y adoró a Dios.

El Señor escuchó la oración de Ana y le concedió su petición. En el tiempo nació Samuel, y ella lo crió hasta que fue destetado. Luego llegó el momento cuando debía cumplir su voto y llevarlo al templo para que viviera y sirviera a Dios. Probablemente el niño no tenía más de tres años. Qué difícil debió haber sido dejar ir a su amado hijo primogénito, por el cual había orado y llorado. Pero como había confiado en que Dios respondería su oración, lo confió en las manos de Elí y al cuidado de Él, dedicándolo a su servicio en el templo.

A pesar de que era el templo de Dios, éste no era un ambiente piadoso. El liderazgo era débil y lo hijos de Elí malos y despreciables; *no tenían conocimiento de Jehová* (1 S. 2:12). El pecado abundaba, pero aún así Ana dejó a Samuel allí para que Elí le enseñara.

Cada año ella cosía para el pequeño Samuel una túnica y se la llevaba al templo. Casi puedo verla rodeándolo de oraciones y amor, y elevando con cada puntada una oración por la protección de Dios para que su gloria y propósito se cumplieran a través de él.

¿Cuáles fueron los resultados de que Ana le hubiera presentado su necesidad a Dios en oración, y confiado su hijo a Él? Su angustia se tornó en gozo. Abundaron la libertad y las bendiciones. Cuando lo dedicaba a Dios, su corazón entonaba una canción de adoración que comienza así: *Mi corazón se regocija en Jehová* (1 S. 2:1). Luego Dios la bendijo con otros tres hijos y dos hijas. Samuel creció delante del Señor, convirtiéndose en el vocero escogido por Dios de un tiempo en la historia cuando las visiones y la Palabra de Dios eran escasas. El poder y la soberanía de Dios protegieron a Samuel, y Él lo usó de una forma extraordinaria para llevar a cabo su plan. Como dice en 1 Samuel 3:19: *Samuel crecía y Jehová estaba con él; y no dejó sin cumplir ninguna de sus palabras.*

## El Poder de la Oración

Aunque para nosotras sea muy difícil imaginarnos entregando a nuestros hijos para el servicio de Dios a la edad de tres años, como lo hizo Ana, podemos aprender mucho de aquella mujer y sus oraciones. Al igual que ella, no los podemos poner en una burbuja protectora hasta que pasen por la infancia y la adolescencia. No podemos controlar las fuerzas que tratan de deshacer toda nuestra cuidadosa crianza y enseñanza. No siempre podemos levantarlos, besar sus heridas, y hacer todo mejor, especialmente cuando llegan a ser suficientemente grandes como para estar en el campo de juego. Pero podemos seguir el ejemplo de Ana levantándolos y llevándolos a Jesús quien los ama más de lo que nosotras podríamos hacerlo.

Dios nos ha dado el mismo poderoso recurso para llevarle todas las preocupaciones que tenemos por nuestros hijos, el poder de la oración. Cuando el amor de una madre por sus hijos está conectado con el poder de Dios a través de la oración, se libera una irresistible fuerza que cambia gente (incluso a nosotras), situaciones, escuelas y hasta comunidades. Nuestras oraciones constituyen una vía para que Dios venga con su salvación e intervención. En este libro usted leerá historias de Anas modernas, mujeres angustiadas, madres como usted que aman a sus hijos, y que lo que más desean es pedir lo mejor de Dios para ellos, y cuyas oraciones están abriendo la vía para que su poder se manifieste.

Las historias cubren el tramo y las estaciones en la vida de una madre, desde cargar a un bebé totalmente dependiente, caminar con él a través de los años escolares, hasta verlo ir a la universidad (¿a dónde se fue el tiempo?), e incluso ser una abuela. Las historias reales de oraciones ofrecidas y respondidas muestran la poderosa influencia que nuestras oraciones pueden ejercer. Ellas le darán nuevas energías, la animarán a perseverar, y ofrecerán esperanza a medida que vemos una y otra vez que cuando las madres oran, las montañas se mueven. La montaña puede ser un problema de aprendizaje, drogas o alcohol, una relación difícil, rebeldía, o una crisis de salud. No importa. Cuando las madres oran, escuelas y maestros cambian, los pródigos vuelven a casa, y a veces se ven los inicios de un avivamiento. Y cuando oramos por nuestros hijos, nosotras también cambiamos. Aprendemos a soltar con gracia, nuestra ansiedad y pesadez desaparecen, y vuelve la paz. Vemos a Dios actuando en nosotras. Vemos su fidelidad.

## Nuestros Problemas con la Oración

¿Suena esto demasiado bueno para ser verdad? ¿Tu deseo de orar está mezclado con un tinte de culpa, algo de duda, o un poco de ansiedad? Quizá te sientes como muchas otras madres que he entrevistado. Quizás te has hecho algunas de las mismas preguntas que ellas se hicieron:

- "Con mi horario tan ocupado cuidando los niños, arreglando la casa, trabajando dentro y fuera de ella, cuidando un padre anciano y todo lo demás, ¿cómo puedo realmente encontrar tiempo para orar?"
- "¿Qué hacer cuando no se ve ningún resultado de sus oraciones? Yo he estado orando durante muchos años por mis hijos y no veo ningún cambio".
- "Con todas las distracciones, ¿cómo puedo evitar que mis pensamientos me distraigan? ¿Me escuchará Dios realmente cuando tengo problemas en darle a Él total atención?"
- "He oído sobre un tiempo devocional, pero con mis hijos en la casa, mi horario nunca es el mismo dos días seguidos. ¿Qué puedo hacer para ser constante en la oración?"
- "¿Cómo puedo orar más efectivamente por mi hijo?

Siendo una Marta que hace malabares con muchos platillos al mismo tiempo, puedo identificarme con estas preguntas. Así que además de relatarte mis luchas y mis jornadas de oración compartiré, en cada capítulo, sugerencias prácticas para enriquecer nuestras vidas de oración. Hay ideas tanto para Marías como para Martas; para aquellas de nosotras que estamos ocupadas y somos distraídas fácilmente; y para aquellas a las que les es natural estar tranquilas, a fin de que sepamos que Él es Dios y nos sentemos a sus pies.

Algunas de la historias que leerás tienen finales maravillosos, pero otras están en proceso, y el "resto de la historia" sobre la obra de Dios en situaciones y vidas está por ser visto mientras nosotras perseveramos en oración. Aunque muchos son relatos de oraciones contestadas, de ninguna forma estoy sugiriendo que la oración es una fórmula mágica para conseguir los deseos de nuestro corazón. Mucho acerca de la oración y la forma como Dios obra es un misterio, pero lo que sí sabemos, es que Dios nos invita a orar. Él nos oye y nos bendice cuando oramos. También nos da su Palabra para equiparnos y guiarnos en cuanto a cómo orar, por qué orar, y promete una efectividad especial en la oración cuando nos ponemos de acuerdo con otros.

La oración no es una disciplina secundaria; es lo más importante que podemos hacer por nuestros hijos y por nosotras mismas para recibir las mayores bendiciones. Si todo lo que hacemos como madres fluye de la fuente de la oración, experimentaremos gracia, gozo y descanso en el corazón del Padre. Eso no significa que estaremos exentas de las dificultades, pero podremos enfrentarlas con más energía y confianza.

## Mi Oración por Ti

Mi oración es que Dios use este libro animándote a enriquecer tu vida de oración, y llenándote de esperanza. Que te ayude a saber que así como Él conoció a madres como Ana en tiempos bíblicos y ha escuchado las oraciones de las madres a través de la historia y los continentes, está escuchándote, deseando mostrarte su amor y su poder a medida que te acerques al trono de la gracia y acudas a Él.

*Y el Dios de esperanza os llene*
*de todo gozo y paz en la fe,*
*para que abundéis en esperanza*
*por el poder del Espíritu Santo*
(Romanos 15:13).

*La oración del santo más débil de la tierra*
*que vive en el espíritu y se mantiene bien*
*con Dios es un terror para Satanás.*
*Las fuerzas de la oscuridad son*
*paralizadas por la oración...*
*No debe sorprendernos que Satanás trate*
*de mantener nuestras mentes inquietas,*
*en actividad constante, de tal manera que*
*no podamos pensar en orar.*

OSWALD CHAMBERS

CAPÍTULO DOS

# Confesiones de una Marta

*Por nada estéis angustiados,*
*sino sean conocidas*
*vuestras peticiones*
*delante de Dios en toda*
*oración y ruego, con acción de gracias*
(Filipenses 4:6)

Me cubrí la cabeza con el viejo chal café mientras los niños hacían fila para la clase de "Tiempos Bíblicos" en la escuela bíblica vacacional. Movía mi escoba rápidamente de aquí para allá a medida que me metía en mi personaje, Marta, y representaba la escena cuando Jesús y sus discípulos, yendo hacia Jerusalén se detuvieron en nuestro pueblo y yo les había recibido en mi casa. Mientras trabajo alrededor de la improvisada casa, afanándome por la comida que estoy preparando para ellos, me siento más y más frustrada con mi hermana María. Allí esta ella sentada a los pies de Jesús escuchándolo, mientras yo hago todo el trabajo.

Esperando un poco de consideración y justicia, voy a Jesús y le digo: *Señor, ¿no te da cuidado que mi hermana me deje servir sola? Dile, pues, que me ayude.*

A lo que Él responde: *Marta, Marta, afanada y turbada estás con muchas cosas. Pero solo una cosa es necesaria, y María ha escogido la buena parte, la cual no le será quitada* (Lucas 10:40-42).

## El Síndrome de Marta

No sé qué tanto aprendieron los niños, pero después de hacer el papel de Marta cuatro veces ese día me di cuenta de cuánto me identifico con aquella mujer que vivió hace 2.000 años. No fue difícil meterme en el personaje, actuar excesivamente ocupada, estar muy activa y "distraída en mucho servicio". Irritación, ocupación, y todo lo que va con la personalidad de Marta, esa fui yo. Hacer el papel de María habría sido actuar.

Desde muy pequeña he sido una persona muy activa, alguien a quien le ha sido difícil ser paciente ante cualquier situación. Creciendo en una familia de seis hijos, cinco de nosotras mujeres, me despertaba charlando y me acostaba de la misma forma. El silencio y la soledad no existían. Me arrodillaba con mis hermanas mientras mi mamá nos dirigía el *Yo me acosté y dormí...*, cada noche, pero no me demoraba mucho allí después del "amén".

Siendo una madre joven, frecuentemente ponía muchas cosas en un solo día, tal como meto muchas cosas en mi maleta cuando voy de viaje. Aparte de cuidar los bebés y todo lo que implica ser madre de tres hijos; cocinar, y mantener la casa limpia, estaba, ya fuera tomando clases en la universidad, enseñando, o ayudando a mi esposo en su negocio. Al igual que Marta, yo tenía muchas cosas para hacer; lavar la ropa, lavar la loza, cocinar, limpiar y pasar tiempo con mis hijos. ¿Tiempo de oración a los pies de Jesús? Eso formaba parte de mis días también, pero no en el grado en que yo deseaba. ¿Cómo iba a meter más tiempo en mi horario?

Quería ser una María, ser más fiel en la oración, pero con seguridad yo no me habría clasificado como la guerrera de oración más valiente. De hecho, una vez, cuando el ministro en nuestra iglesia pidió que los intercesores levantaran su mano y se registraran en el grupo de oración, mi mano no se levantó, y yo no me moví. En mi mente un intercesor fiel era alguien que tenía horas para estar en su sitio de oración, o alguien que se levantaba a las 4 de la mañana para tener su tiempo devocional (A esa hora la mayoría de los días me sentía muerta cerebralmente).

¿Te puedes identificar? ¿Estás más familiarizada con el rincón de las escobas que con el rincón de la oración? ¿Quieres que la oración sea una mayor prioridad, pero encuentras que tu horario constantemente se interpone? No te sientas sola. Después de hablar con cientos de mujeres acerca del tema, he encontrado que su impedimento número uno para orar, es sacar un tiempo tranquilo para hacerlo, en medio de sus ocupados días.

Tammera, madre de cuatro hijos, había sido una enfermera profesional y trabajadora de tiempo completo antes de que sus dos últimos hijos nacieran. Cuando se dio cuenta de que no se podía hacer cargo del trabajo y de sus pequeños, se retiró para ser una ama de casa. "Pero me doy cuenta de que no puedo manejar mi tiempo", dice ella. "Estoy agobiada y a los 37 tengo menos energía. Nunca tengo tiempo para nada, y desafortunadamente eso también incluye a Dios algunas veces".

Muchas madres con las que he hablado se autocritican, diciendo: "No estoy manejando mis días de manera suficientemente sabia con el fin de sacar tiempo para orar", o "no estoy disciplinándome" o "tengo equivocadas mis prioridades". Entonces la culpa y la autocondenación se acumulan sobre la frustración por el manejo del tiempo.

Si puedes relacionarte con alguna de nosotras, madres que luchan con "no tener suficiente tiempo para orar" o el síndrome de Marta, permíteme asegurarte que hay esperanza. Pero primero necesitamos mirar un poco más de cerca para ver si el estar ocupadas es la raíz o un efecto lateral del problema.

## Llegando a la Raíz del Problema

Jody creció en Hong Kong, donde sus padres eran misioneros. A la edad de nueve años fue enviada a un internado para hijos de misioneros en Inglaterra. De allí en adelante vio a sus padres una vez cada año, a excepción de sus limitadas licencias. Desarrolló un carácter duro por enfrentar la vida y crecer acostumbrada a manejar todo por sí misma sin el cuidado de una madre. Cuando se casó, encontró más fácil estar ocupada e ignorar las necesidades emocionales de su esposo e hijos. Al enfocarse en el nivel consciente de "terminar de hacer las cosas", no tenía que enfrentar las emociones internas que eran tan dolorosas. Evadió la oración por las mismas razones; si estaba en silencio y a solas con Dios, sus emociones saldrían a flote, así que prefería mantenerlas enterradas.

Para mí también estar ocupada era un síntoma del problema, no la raíz. Cuando podía ser totalmente honesta en la oración, en mi mente luchaba con la constante pregunta, ¿me estará escuchando alguien?

¿Me escuchó Dios cuando a la edad de 11 años oré durante meses por mi padre? Si fue así, ¿por qué sufrió un cuarto ataque cardíaco y murió? Después mi madre se volvió a casar y mis dos hermanas adolescentes salieron de casa. ¿Vio Él mis lágrimas de confusión cuando nuestro mundo aparentemente se derrumbaba? ¿Estaba mirando cuando un año después mi mejor amiga murió en un accidente, o cuando mi hermana fue golpeada por una tragedia? Sintiéndome devastada y abandonada en esos años, yo luchaba con preguntas como: ¿Dónde estás Dios? ¿Dispongo de ti?

Siendo una joven cristiana, a mi amiga Cyndi también le era difícil creer que Dios la amara porque venía de una familia divorciada, con un padre infiel y alcohólico de quien no se podía depender. Un joven líder que conocía sus luchas la animó para que todos los días dijera en oración estas palabras: "Señor enséñame a creer que tú me amas". Cindy continuó orando así cada día entre sus 20 y 30 años, hasta que descubrió cuánto, de hecho, Él la amaba. Cuando el amor de Dios llegó a ser su verdadera ancla, su vida de oración cambió, al igual que su habilidad para enfrentar las dificultades y crisis con mayor fe en Él.

Como Cyndi, a mí me era difícil sentir que Dios me amaba. A pesar de que había recibido al Señor a la edad de 12 años, la lucha con la duda me persiguió durante mi adolescencia y mi juventud adulta. Yo buscaba una relación más cercana con el Señor, al tiempo que lo mantenía a distancia y evadía una vida de oración profunda.

Recuerdo claramente el día en que el amor de Dios empezó a penetrar mi corazón. Fue el domingo cuando mi esposo y yo asistimos a la clase de escuela dominical para parejas en Waco, Texas. Mientras caminábamos por el pasillo para encontrar puestos, ellos estaban cantando: "Hay un dulce, dulce espíritu en este lugar, y yo sé que es el Espíritu de Dios".

Nosotros apenas habíamos pasado por la pérdida de un segundo hijo que nació prematuro, y aunque ninguno hablaba de ello, el dolor en el corazón aumentaba. La oscuridad de la vida era real y a pesar de que trataba de estar ocupada con clases, amigos, actividades, cuidando los niños, y haciendo cualquier cosa para mantener la oscuridad al margen, yo estaba buscando la luz. Había tratado de manejar mi vida en mis propias fuerzas (es lo que hacemos cuando no podemos confiar en alguien más grande), pero lo encontré vacío y pesado.

Cuando nos sentamos en el círculo, las parejas compartieron respuestas de oración que habían recibido esa semana. Una pareja habló acerca de cómo Dios suplió una necesidad financiera, y otra sobre cómo Él les ayudó a comunicarse mejor. Luego un hombre y su esposa compartieron que cuando estaban en un parqueadero lleno, oraron por un cupo, el cual Dios proveyó de inmediato.

"¿Orar por un cupo en el parqueadero?", pensé. "¿Molestar a Dios por algo tan insignificante? ¿Le importaría eso a Él?" Parecía ridículo y yo estaba escéptica. Ciertamente Marta no le pidió a Jesús que la ayudara en la cocina mientras trataba de darle comida a todos. ¿Puede Dios estar realmente interesado en los detalles de nuestra vida? Ese fue un pensamiento que me retó, y quizá me hizo pensar, ya que en ese momento yo estaba tan alejada de orar conscientemente por mis preocupaciones diarias.

## La Luz de Jesús Brilla a Pesar de Nuestras Barreras

Yo seguí buscando a Dios cuando nos trasladamos a Tulsa, Oklahoma. Pero el resto del tapete donde yo estaba parada fue halado y las luchas se multiplicaban: soledad por no conocer a nadie en la nueva ciudad y estar a cientos de kilómetros de mi familia; ansiedad por los ataques de asma de nuestro hijo mayor; las largas horas de trabajo de mi esposo. Después de haber dado a luz con éxito a nuestro segundo hijo, volví a quedar embarazada, y estaba cansada de cuidar a nuestros dos hiperactivos preescolares.

Luego de varios meses de estudio para lograr mi máster, había terminado recientemente la tesis y pasado los exámenes orales, no tenía nada que me mantuviera realmente ocupada, excepto prepararme para el nacimiento de nuestro tercer hijo. Empecé a leer una traducción de Philips, del Nuevo Testamento, que mi esposo había usado para la clase de religión en la universidad. Sentada allí todos los días sola, mientras los niños tomaban la siesta, leí Mateo, Marcos y Lucas.

Una tarde mientras empezaba el libro de Juan, fui golpeada por las palabras del primer capítulo. Esas eran las primeras palabras de la Biblia que yo había memorizado cuando tenía seis años: *En el principio era el Verbo, el Verbo estaba con Dios y el Verbo era Dios. Este estaba en el principio con Dios. Todas las cosas por medio de él fueron hechas, y sin él nada de lo que ha sido hecho fue hecho. En él estaba la vida, y la vida era la luz de los hombres. La luz resplandece en las tinieblas, y las tinieblas no la dominaron* (Juan 1:1-5).

Mientras leía estos versículos, esa luz penetró mi oscuridad. Como nunca antes, vi a Jesús como el Verbo de Vida. Su presencia llenó el lugar y mi corazón. Con tanta seguridad como Jesús le habló a Marta, Él empezó a hablarme a través de su Palabra, a responder a mis preguntas más profundas, y a sostenerme en las luchas.

Iba rumbo a casa y en medio del camino había visto a mi Padre sosteniendo una luz para guiarme.

Como la duda y el escepticismo lentamente se disolvieron a la luz de su presencia, empecé una conversación diaria con Él. No, yo no tenía experiencia en la oración, pero estábamos hablando de nuevo. Él comenzó a tomar los hilos de mi vida, mis preocupaciones por nuestros hijos, mis temores sobre el asma de uno de ellos, mi dolor por pérdidas personales, mi agonía por una hermana que se estaba autodestruyendo a causa del alcoholismo, mis tensiones y heridas en el matrimonio, y los entretejió en una oración.

Cuando daba pasos de bebé hacia Dios orando por algo, Él respondía y yo veía un poco más de su fidelidad. Fue como si me estuviera diciendo: "Sí, yo estoy aquí. Me importas. Soy fiel. Sigue viniendo a mí", extenderé mis manos como lo hacemos con nuestros pequeños cuando están dando sus primeros pasos.

Durante las dos siguientes semanas Holmes mi esposo se me unió y juntos le llevamos nuestras preocupaciones a Dios. A medida que contestaba nuestras oraciones, nosotros le confiábamos más nuestras vidas a Él. Así las oraciones fueran por nuestra relación ("ayuda nuestro matrimonio Señor, y haz que esto comience conmigo" era una oración común), o por guía en las decisiones de trabajo que Holmes debía tomar, Él no sólo nos mostraba la vía de salida, sino también más de Él mismo.

Yo había entrado en la escuela de la oración, y a pesar de que estaba en el jardín infantil, había comenzado la aventura de por vida, aprendiendo a comunicarme con el Señor, a escucharle, y a seguirle. Mientras leía su Palabra diariamente, encontré versículos como: *Cercano está Jehová a todos los que lo invocan, a todos los que lo invocan de veras* (Salmo 145:18). Comencé a darme cuenta de que Dios mismo, quien amaba a mis hijos, mi esposo y mi hermana aún más que yo, me invitaba a echar todas mis preocupaciones sobre Él, y a derramar mi corazón delante del Él en oración.

También empecé a darme cuenta de que, de hecho, a Dios le importan los detalles de nuestra vida. Job 23:10 me lo confirma: *Él conoce cada detalle de lo que está pasando en mí...*[1] y el Salmo 33:15 describe el cuidado vigilante de Dios: *Él ha formado sus corazones y mira muy de cerca todo lo que ellos hacen.*[2] Si Dios numeró los cabellos en mi cabeza y tejió todas las delicadas partes internas de mi cuerpo en el vientre de mi madre como dice el Salmo 139, y si Él nos dice que oremos por *todo* en nuestra vida, como dice Filipenses 4:6, entonces le importan incluso los detalles.

Nuestra vida está constituida de pequeñas cosas, dice E. M. Bounds, y nada es tan grande o tan pequeño como para ser motivo de oración. "La oración bendice todas las cosas, trae todas las cosas, libera todas las cosas y previene todas las cosas. Cada situación, al igual que cada lugar y cada hora, deben ser ordenados por la oración. La oración tiene en sí misma la posibilidad de influenciar cada cosa que nos afecta".[3]

Yo aún no estaba orando por cupos en el parqueadero, pero Marta anhelaba sentarse a sus pies. Tú también puedes hacerlo.

## Poniendo Acción a Nuestras Oraciones

Las siguientes son algunas ideas que puedes considerar para cambiar tu Marta en María.

*Meditar y escribir*. Considera escribir en un diario las respuestas a las siguientes preguntas, o discútelas con una buena amiga.

- ¿Qué barreras te impiden orar?
- ¿Cómo tendrías que ver a Dios para acercarte a Él con esperanza y confianza cuando oras?

Si estás luchando constantemente por saber si Dios te ama, escribe la siguiente oración en tu diario o en una tarjeta pequeña y ponla en un lugar donde la puedas ver todo el día: "Yo quiero creer que tú me amas, y creer tu Palabra. ¿Me mostrarás y me enseñarás tu amor?"

*Enfrenta las distracciones.* "La distracción es, siempre ha sido y probablemente siempre será algo inherente en la vida de la mujer", dice la autora Anne Morrow Lindbergh. "Porque ser mujer es tener intereses y obligaciones irradiando en todas la direcciones desde el núcleo central de una madre, como los radios desde el eje de una rueda".[4]

A veces cuando nos quedamos en silencio, nuestra mente se desvía por uno de esos radios. Cuando la mía empieza a recorrer todas las obligaciones que tengo ese día, hacer el mercado o una llamada, escribo una nota en un papel que tengo a la mano y le encargo esas necesidades o deberes específicos a Dios. Luego puedo seguir orando. Si una carga o preocupación por alguien viene a mi mente, eso me indica que debo entregársela a Él. Si salen a flote emociones dolorosas, éstas le deben ser entregadas porque Él nos ayuda a manejarlas.

*Haz una caminata de oración:* Esto puede ayudarnos a enfocar nuestras oraciones, especialmente si no es muy fácil tener un momento de quietud. Lois, madre de 6 niños, hace su caminata de oración cada mañana cuando sus hijos salen para la escuela. Su intención en parte es hacer ejercicio, pero mayormente orar. Su meta es "cubrir" con oración por el día, a cada uno de sus hijos, desde el que está en primaria hasta el universitario. Ese día ella levanta cada uno de sus nombres a Dios con sus más grandes necesidades. Como ellos saben que ella está orando en ese momento, a menudo le dan peticiones: "Mamá, por favor ora por mí para que pase el examen por el que estoy estudiando". "Ora por mí para que logre lo mejor en las pruebas de baloncesto".

Cuando no es posible hacer una caminata de oración, sencillamente empezar el día conversando con Dios, nos ayuda a continuar nuestro diálogo con Él a través del día. Ora un versículo como: *Este es el día* que tú has hecho; dame la gracia para gozarme y alegrarme en él... en cualquier cosa que enfrente, Señor (Salmo 118:24). Luego mira las formas como Él respondió a esa oración a través del día.

*Haz un diario de tus oraciones.* Cuando mis pensamientos no son claros, escribir mis acciones de gracias, confesiones y peticiones en un papel, hace que la oración sea más concreta. Yo sé que Él "escucha" palabra sencillas como: "Querido Dios", como también las oraciones vocalizadas. Encuentro que cuando escribo mis problemas y los envío como una oración, el Espíritu Santo es un maravilloso consolador. De hecho es el mejor.

*Visualiza tu audiencia*: Quizá eres como mi amiga Susan que visualiza más. Cuando ora, le gusta imaginar a Dios en su trono mientras ella descansa en su regazo. Esto la ayuda a enfocarse en Él, no en la lista de "cosas por hacer".

O trata de imaginarte como un cordero que es tiernamente acariciado por el Señor, tu Pastor, quien te guía a aguas de reposo y te carga cuando estás cansada: *Como pastor apacentará su rebaño. En su brazo llevará los corderos, junto a su pecho los llevará; y pastoreará con ternura a las recién paridas* (Isaías 40:11).

*Enfócate con una foto*: Un día cuando me sentaba a orar en la oficina antes de comenzar a trabajar en el computador, levanté la mirada y vi en el papelógrafo las fotos de mis hijos, esposo, sobrinas y amigos. Allí estaba Chris, ahora alto y convertido en un universitario, más pequeño, en el tiempo y la talla de cuando estaba en segundo grado. Tenía el uniforme de la escuela, sus primeros anteojos y esbozaba su preciosa sonrisa. Al mirar cada foto y orar por cada persona, mi corazón fue tocado con sus necesidades, y las lágrimas brotaron. El papelógrafo se ha convertido en mi tablero de oración, y las fotos me ayudan a enfocar y llevar mi atención de nuevo a ella. Quizá quieras crear un tablero o un álbum de oración que te ayude a pasar un tiempo orando por cada uno de tus seres queridos.

*Comunícate con Dios en sus propias palabras*: La Biblia es un gran vehículo para enfocar nuestra comunicación con el Señor. Orar los salmos u otros versículos de la Biblia nos puede ayudar a expresar a Dios nuestros más profundos pensamientos y sentimientos. Como Judson Cornwall dice: "La Palabra escrita, las Escrituras y la Palabra de vida, Jesucristo, nos introducen a la oración y nos instruyen en nuestra oración".[5]

Trata de tomar y orar uno de estos versículos a Dios:

- Por ejemplo, podrías orar 1 de Pedro 5:7: *Echad toda vuestra ansiedad sobre él, porque él tiene cuidado de vosotros,*[6] así: "Señor, gracias porque siempre estás pensando en mí y mirando todo lo que me preocupa, y porque tú *quieres que yo* te entregue mis preocupaciones y ansiedades. Estas son las cargas que tengo hoy..."
- O Colosenses 2:6-7: "Padre así como confié en Cristo para salvación, quiero confiarte los problemas de cada día y vivir en unión vital contigo. Ayúdame a echar raíces profundas en ti, y susténtame. Ayúdame a crecer en ti, Señor, y a llegar a ser fuerte en la verdad".

*Señor como mi vida es tan*
*ocupada me es difícil estar quieta.*
*Gracias porque tú me recibes donde*
*estoy hoy, y porque puedo echar*
*todo mi ansiedad sobre ti.*

*En el nombre de Jesús. Amén.*

*La oración es la expresión del corazón*
*humano en conversación con*
*Dios. Entre más natural sea la*
*oración, Él se vuelve más real.*
*Esto ha sido simplificado*
*para mí hasta este grado:*
*la oración es un diálogo*
*entre dos personas que*
*se aman mutuamente.*

**Rosalind Rinker**

CAPÍTULO TRES

..........

# ¿Orar sin Cesar?

## ¿Estaba Pablo Hablándole a una Madre con Hijos Jóvenes?

*Orad sin cesar*
(I Tesalonicenses 5:17)

Pablo dice: *Orad sin cesar* ¿Hablaría él alguna vez con una madre que tuvo hijos jóvenes? De hecho nunca pasó un día con mis hijos cuando eran pequeños. ¿Te gustaría mostrarle tu horario y preguntarle exactamente de dónde sacarías tiempo para "orar sin cesar"?

Probablemente nosotras como madres nos identificamos más fácilmente con Wendy, madre de cuatro activos hijos, incluyendo gemelos en preescolar. "Cuando puedo parar, estar sola, y pensar, tengo tan poco tiempo, ¡cuánto menos para orar!", se lamenta.

Incluso mujeres con tendencias como la de María, a quienes les gustaría pasar horas en oración, luchan procurando encontrar tiempo para dedicarse a ella, cuando sus hijos son pequeños. De hecho, ¿alguna mujer siente la necesidad de orar más, pero encuentra que el tiempo es más escurridizo para una madre con hijos pequeños?

Como no podemos agregarle más horas al día, las madres de niños pequeños necesitan ser creativas para encontrar la forma y el tiempo de orar. Necesitamos ser expertas en "orar sin cesar".

## La Oración como Integración, no como Separación

A pesar de que sería bueno podernos aislar cada día temprano en la mañana o tarde en la noche para pasar tiempo a solas con Dios, y con seguridad esos tiempos volverán, no es esencial para la oración. Ésta no se limita a un espacio en nuestro horario. Es vivir en la presencia del Señor y ser abiertas con Él. En lugar de verla como un tiempo lejos de nuestros hijos, debemos integrarla en las actividades con ellos, por su bien y por el nuestro.

Mi amiga Cathy, dice: "La oración es un estilo de vida en el que nos mantenemos en contacto con nuestro mejor amigo Jesús, compartiendo el gozo con Él, y entregándole nuestras cargas". Ella permite que Dios la dirija a través del día en su casa, no sólo en la iglesia, y usa la oración como su timón, no como su llanta de repuesto. Para Cathy la oración es una actividad de momento tras momento. Y sus hijos son bendecidos por esto.

Cuando sus cuatro hijos eran pequeños, si ella los escuchaba peleando por la mañana, oraba con ellos en la puerta antes de que se fueran para la escuela. Antes de que salieran los animaba a confesar, perdonarse mutuamente y a permitir que Dios limpiara sus vidas de todas las palabras o acciones malas porque así Satanás no tendría la victoria.

En su mente está el recuerdo de un día en particular cuando Mark de siete años y Susan de nueve, estaban atacándose duro (sólo de forma verbal afortunadamente). Cathy oró: "Señor, no sé que hacer", confesando su frustración y la necesidad que tenía de su ayuda. "Intercambia papeles", pareció que Él le decía. Entonces Cathy tomó a

Susan y a Mark a un lado y les hizo cambiar de roles para que actuaran de la forma como cada uno estaba ofendiendo al otro. Muy pronto Susan fue quebrantada y comenzó a llorar. "Es mi culpa", dijo pidiéndole perdón tanto a Dios como a su hermano por sus fuertes palabras. Aun así Mark no tenía la intención de retractarse u orar. En lugar de forzarlo a decir lo que todavía no quería, Cathy dejó que lo manejara por sí mismo. A medida que su ira fue disminuyendo, se sintió más miserable. La atmósfera en la casa estaba tensa.

Al darse cuenta de que Mark estaba hundiéndose a sí mismo más y más dentro de un pozo, Cathy fue a su cuarto esa noche y puso su brazo al rededor de su testarudo y triste hijo, pidiéndole una vez más que orara con ella. Esta sabia madre primero que todo le pidió a Mark que le dijera a Dios cómo se sentía, incluyendo toda la ira, el resentimiento y el dolor. Luego le dijo que le pidiera perdón a Dios por las malas actitudes hacia su hermana. Finalmente sugirió que le pidiera que lo hiciera el joven piadoso que Él deseaba.

Cathy esperó con paciencia su reacción, y él finalmente lo hizo. Cuando terminó de orar, el Espíritu Santo le retornó el gozo a Mark y a su hogar. Tanto Susan como él compartieron algo divertido que pasó en la escuela, y la familia disfrutó una comida tranquila.

Esa noche cuando Cathy llevo a Mark a la cama, él puso las manos detrás de la cabeza y habló con una madurez que superaba su edad: "Mamá, gracias por esperar que yo orara hoy. Eso fue increíble, Dios realmente tomó mi ira y cambió mi corazón".

La forma natural como Cathy involucraba a Dios en los conflictos de sus hijos y las situaciones de cada día, abrió la puerta para grandes bendiciones. En ese momento ella notó poco, pero aquel día en particular quedó marcado en la vida de Mark. El hablar con Dios sobre sus sentimientos llegó a ser un patrón en su vida. Años después siendo un joven adulto, y mientras servía como consejero en un campamento de verano, Mark transmitió el mensaje a varios jóvenes. Ahora como esposo y papá, no deja pasar mucho tiempo para pedir perdón cuando él y su esposa se ofenden con palabras duras. La nuera de Cathy está agradecida con ella por la gran lección que le enseñó a Mark cuando era niño.

## Oraciones Tipo Dardo

Si algunos días te sientes abrumada, considera a Janis, madre de ocho niños, quien también provee un hogar sustituto para niños que esperan ser adoptados. Nosotras nos podemos preguntar cómo puede ella orar, y sobre todo, "sin cesar".

"Como tengo que levantarme temprano para darle de comer a los niños, hablar con el Señor en esos momentos tranquilos, funciona muy bien", dice Janis. Pero las oraciones temprano en las mañanas sólo son parte de su régimen de oración. Para ella "orar sin cesar" significa tener siempre una actitud de oración. Su lema es: En cualquier situación que se presente, ora. Cuando una persona venga a tu mente, ora. "Aunque un tiempo específico de oración y estudio de la Palabra es esencial, una oración constante no debe ser subestimada", añade.

Su actitud constante de oración le permite elevar oraciones cortas cuando la preocupación surge. Su día es acribillado con veloces "oraciones tipo dardo": "Señor, ayúdame a responderle a mi hijo de una manera que te agrade". "Señor, yo perdono a esta persona ahora, en este mismo instante. Y, Señor perdóname por mi actitud no perdonadora. *¡Crea en mí, Dios, un corazón limpio, y renueva un espíritu recto dentro de mí!* (Salmo 51:10). Estas oraciones tipo dardo llegan al oído de Dios tanto como nuestras oraciones más extensas.

## Busca Oportunidades

Parte de este "orar sin cesar" es ver las oportunidades de oración que conforman nuestra vida diaria, y confiar en que Dios usará estas oraciones para impactar a nuestros hijos.

Pámela, madre de cinco hijos, empieza su conversación con Dios en la mañana aun si es un tiempo corto de oración. Ella continúa su oración durante el día, cuando lleva los niños a la escuela, lava los platos o limpia la casa. Si está planchando, ora por el niño que va a usar ese pantalón o esa camisa el próximo domingo para ir a la iglesia (Con hijos entre los 18 meses y los 13 años, creciendo tan rápido la ropa que usan cambia de un mes para otro).

Cuando Pámela iba a viajar por una semana, empezó la práctica de "tomar la mano" de sus hijos mientras oraba. Tomó papeles de diferentes colores y trazó la mano de cada uno de ellos escribiendo sus nombres y el versículo que oraba por cada uno en especial. Luego perforó cada hoja y las puso todas en su libreta de oración.

Por el mayor, Todd, oraba el Salmo 119:9-11 para que él mantuviera su camino limpio, guardando su Palabra, buscando a Dios con todo su corazón y para que atesorara sus dichos y no se desviara de sus mandamientos. En la mano de Kent, escribió Isaías 58:8, orando que cuando clamara al Señor Él le respondiera, que su justicia fuera delante de él, y que la gloria de Dios fuera su retaguardia. Y así sucesivamente por el resto de sus hijos.

Esta no sólo es una manera de recordarlos y hacer que sus oraciones sean más concretas y estén enfocadas en cada uno de sus hijos, sino también la forma de que ellos sean alcanzados con su fidelidad. Mientras ella estaba trazando sus manos, ellos le preguntaron para qué eran los papeles. Se dieron cuenta, algunos de ellos por primera vez, de que su mamá estaba orando por cada uno individualmente. Aun cuando ellos están en la escuela y ella en casa, sus manos están unidas en oración.

En el deseo de Pámela ninguna oportunidad de que Dios intervenga en sus vidas es pasada por alto. En el otoño pasado cuando la avalancha de catálogos para navidad llegó a su casa, sus hijos estaban concentrados en hacer listas de todos las cosas que simplemente *debían* tener en navidad. Sus conversaciones telefónicas e incluso la ducha fueron interrumpidas por su hijo de cinco años, cuyos ojos brillaban deseando mostrarle su último deseo para la navidad. Él quería todo lo que veía.

"Ayúdame Señor", clamó Pámela. "¿Cómo libero nuestro hogar de estos deseos por cosas, para poder ayudar a mis hijos a apreciar el significado santo que tiene la temporada de navidad?"

Pámela pasó el mes de noviembre orando, planeando, y buscando actividades que pudieran hacer durante el advenimiento, y que reemplazaran en sus hijos la actitud de "dame" por la de dar. Escucharon música navideña en el carro, leyeron los versículos detrás de cada una de las 25 puertas del calendario del advenimiento que ella había hecho y una historia de navidad cada noche después de una cena a la luz de las velas. Pero nada parecía entrar en la mente de ellos. Cada noche durante la cena los chicos discutían sobre quién tenía el turno para prender las velas, había cera caliente regada en el mantel, y dedos intrusos. Ellos incluso peleaban sobre quién debía leer los versículos bíblicos del advenimiento. Y para colmo de males nuevos catálogos de navidad aparecían diariamente en su buzón.

"Señor", gimió. "He tratado de hacer absolutamente todo lo posible. ¿Cuáles son tus planes ahora? ¿Cómo vas a rescatar nuestra navidad?"

Aunque Pámela pensó que sencillamente sus hijos no estaban viendo la "razón de la época", dos semanas antes de la navidad Mark de siete años le entregó una tarjeta cuidadosamente escrita, con el título "Cumpleaños de Jesús":

> Es como si Jesús estuviera celebrando su cumpleaños. Luego Papá Noel, un árbol de navidad y las luces vienen a la fiesta, mientras el árbol dice: "Estoy decorado y bonito". Las luces dicen: "Yo soy colorida y brillante". Luego Papá Noel dice: "Yo soy bueno y doy regalos a los niños".
>
> Después Jesús dice: "Los árboles mueren, las luces se queman, y los juguetes se rompen, pero mi regalo es ETERNO".

Pámela estaba profundamente conmovida por la respuesta de Dios a sus oraciones. En medio de las discusiones, las listas navideñas y los manteles manchados, Dios había cumplido sus propósitos. En silencio Él había hablado al corazón de su hijo, además de aclarar el mensaje de la navidad y anular todos los catálogos y el caos.

## Un Impacto de Por Vida

A veces, al igual que Pámela, puedes sentir que tus oraciones no están haciendo la diferencia. Pero confía en que la oración por tus hijos, nunca es vana. Es un tiempo bien invertido para la eternidad. Cuando las madres y los padres oran, sin importar dónde estén o cuáles sean las circunstancias de sus vidas, Dios oye y la vida de sus hijos es influenciada por siempre. Si alguna vez has dudado acerca de que tus oraciones estén causando un impacto, mira la historia de Bok Soon Choi.

Bok Soon creció en los campos de Corea del Sur, donde sus padres eran campesinos. Todos los nueve de la familia vivían en una casa muy pequeña de solo tres alcobas. En la noche todos dormían en la misma habitación para mantenerse calientes.

Cada mañana la madre de Bok Soon se levantaba a las cuatro en punto para ir a la iglesia y orar por sus hijos por lo menos durante una hora. Tan pronto llegaba, sus hijos la escuchaban cantando alabanzas a Dios mientras preparaba el desayuno.

Su padre también se levantaba temprano, y sentado oraba por cada uno de sus hijos. Sin excepción, su fuerte voz los despertaba todas las mañanas con la oración: "Señor mi Dios, por tu gracia nos has dado siete preciosos hijos como regalos. Haz que criemos a cada uno de ellos para tu gloria. Necesitamos tu ayuda y tu fortaleza para educarlos. Danos tu gracia".

El sonido de las oraciones y alabanzas a Dios de sus padres era el reloj despertador de ellos.

Pero a medida que Bok Soon creció, llegó a la conclusión de que sus padres eran muy legalistas. Ella y sus hermanos no podían pronunciar malas palabras como los otros chicos del pueblo, eran animados a memorizar la Escritura y tenían que ir a la iglesia. Bok Soon quería ser libre de lo que ella veía como ataduras.

Cuando Bok Soon cumplió 19 años, estaba lista para salir de la casa a buscar más educación. Ante todo quería ser una mujer de éxito. En la mesa a la hora del desayuno, el último día, su mamá le dijo: "Sé que quieres lograr una educación universitaria y más, pero yo te aconsejo que recuerdes a tu Dios siempre. Por favor, ve a la iglesia los domingos y adóralo. Sin Él, no eres nada. Oraré por ti todos los días para que no olvides a Dios".

Dejando su pasado atrás Bok Soon viajó a Seúl, ansiosa de explorar la vida en la gran ciudad. Estaba dispuesta a estudiar duro aun si tuviera que faltar a la iglesia. ¿Qué era eso comparado con el éxito? El primer domingo en Seúl mientras se dirigía a la biblioteca a estudiar, escuchó la campana de un templo, invitándola a adorar.

"Yo quise ignorar el sonido. Pero siguió sonando en mis oídos hasta que recordé a mi madre diciendo: 'Oraré por ti todos los días para que no te olvides de Dios'. Entonces busqué una iglesia y entré".

Después del servicio, una señora se le acercó y la saludó. Como era nueva ella la llevó al salón de compañerismo a tomar refrescos, y pronto le preguntó: "¿De dónde eres? ¿Crees en Jesús?"

Cuando Bok Soon le dijo que sí, la mujer le mostró dos fotos. La primera representaba a una persona sentada en una silla, con Jesús a sus pies, rodeada de confusión y desorden. La segunda mostraba a Jesús sentado en una silla, con la persona a los pies de Él. El orden, la paz y el balance predominaban en la foto. "¿Con cuál de ellas te identificas mejor?", le preguntó la señora.

"No pude mentir, yo sabía que pertenecía a la primera foto", dice Bok Soon.

Aquella mujer la trató amablemente y le dio tareas de lectura bíblica y memorización para la siguiente semana. Como resultado, la primera semana Bok Soon leyó Romanos y el Evangelio de Juan más de 30 veces cada uno, y memorizó muchos versículos. Pero su vida aún estaba en desorden.

Poco después, un domingo en la tarde, escuchó al predicador exponer el primer capítulo de Juan, y hacer énfasis en Jesús como la luz del mundo, enviado por Dios para morir en la cruz por nuestro pecado. "Estaba asombrada por su amor y cuidado", dice ella. "Yo le pedí perdón por mi pecado, creí en Él y le acepté como mi Salvador y Señor. Fue una experiencia asombrosa. Sabía que era una persona totalmente diferente, a medida que su gozo, su amor y su paz llenaban mi corazón".

Luego todo lo que aprendió sobre Dios, en su niñez, fué claro y vivo, y empezó a adorarlo. Más que cualquier otra cosa ahora su deseo era glorificarle con su vida.

"Yo miro atrás, al recuerdo de las oraciones de mis padres por sus hijos cada mañana. Éstas han llegado a ser realidad en mi corazón y en la vida y el corazón de todos mis hermanos". Ahora Bok Soon y su esposo son directores de *Precept Ministries* (Ministerios Precepto) en Corea del Sur, donde ella ha empezado grupos de Madres Unidas Para Orar, como parte del ministerio de Madres Unidas Para Orar para animar a las mujeres a que se reúnan a orar por sus hijos.

El testimonio de Bok Soon es una evidencia de que las oraciones de los padres hacen una diferencia en la vida de los hijos.

## Poniendo Acción a Nuestras Oraciones

Si las cuatro de la mañana no suena como tu tiempo ideal de oración, puedes considerar algunas de las siguientes prácticas maneras de *orar sin cesar*.

*Pídele a Dios su provisión*. Si no encuentras o encuentras muy poco tiempo tranquilo para orar, clama a Dios y pídele que te lo provea. Es una oración que a Él le encanta responder. Simplemente dile: "Señor Jesús, yo quiero pasar tiempo a solas contigo. Muéstrame una forma, un espacio de tiempo, un lugar tranquilo donde yo pueda buscarte". Luego confía en que Él haga justamente eso, y busca las oportunidades. Como madre de un niño pequeño, cuando hago esta oración, una pequeña ventana se abre. Mi esposo los lleva a comer helado o al parque, o una amiga los invita a su casa a jugar con sus hijos. Dios provee fielmente.

*Ora donde estés.* Algo vital sobre la oración es "creer que Dios puede alcanzarnos y bendecirnos en las condiciones comunes y corrientes de la vida diaria... Como ves, el único lugar donde Dios puede bendecirnos es justo donde estamos", dice Richard Foster.[1] Él nos insta a "mantener una conversación constante con Dios acerca de las cosas diarias de la vida". Podemos hablar con Él acerca de lo que nuestros hijos están haciendo, los retos que enfrentamos, los eventos normales de nuestros días (sí, aun los detalles); podemos entregarle nuestros dolores y frustraciones, compartirle nuestros gozos y darle gracias por las victorias y las bendiciones.

Todas necesitamos tiempo a solas con Dios. Pero cuando los tiempos largos a solas sean imposibles, pon toda la energía aun en los momentos breves.[2] Permite que su Palabra traiga inspiración y frescura a tus oraciones y escucha su voz.

Mantén la oración durante el día buscando y pidiendo a Dios "pistas". Cuando pases frente a la escuela de tu hijo, ora por sus profesores. Cuando laves su camiseta de entrenamiento, ora para que él sea cubierto con la protección y el amor de Dios. Cuando limpies sus zapatos, ora para que camine por los senderos de Dios.

*Haz un calendario de oración*. Si tus peticiones de oración exceden tus minutos, divídelas según los días de la semana o del mes. Una madre muy ocupada que yo conozco ora para que una manifestación del fruto del Espíritu crezca en la vida de su hijo cada día. El lunes ella ora por paz, el martes para que sea más paciente, el miércoles por bondad... y así sucesivamente durante la semana.

Imagina que Jesús te preguntara lo que más deseas que Él haga por tus hijos en ésta época de sus vidas. ¿Cómo le responderías? Haz que esa petición sea tu enfoque el lunes. El martes ora por la escuela de tu hija, por sus profesores y su habilidad para aprender. El miércoles ora por las relaciones familiares y sus amistades. Ora a fin de que Dios prepare una esposa cristiana para tu hijo, si esa es su voluntad. El Jueves, ora por el crecimiento físico, mental y emocional de tu hija. El viernes, ora por la salvación de tus hijos o su crecimiento espiritual. Si tienes a otros en tu corazón que no conocen a Cristo, también puedes incluirlos en tu calendario del viernes.

Ciertamente podemos orar todos los días acerca de cualquier situación, pero si estás frustrada porque no sabes dónde enfocarte, pídele a Dios: "¿A favor de quién quieres que interceda fielmente?" Asigna un día específico, ya sea semanal o mensual, para cada persona, y así podrás derramar tu corazón orando de manera específica por una persona.

*Ora específicamente.* Muchas mujeres expresan su frustración porque desean orar de manera más específica, y no sólo que Dios bendiga a sus hijos, les ayude a ser saludables y que crezcan sin peligros. Veamos algunas áreas por las que podrías orar por tus jóvenes hijos. Si se te ocurre que alguna es una necesidad de tu hijo, anótala en una tarjeta y ponla en el mesón de la cocina para que te acuerdes de presentarle a Dios esa petición diariamente:

- Que desde su niñez él se acerque a Cristo y ame su Palabra (2 Timoteo 3:15).
- Que crezca en sabiduría y gracia para con el Señor y las personas que tocará con su vida (Lucas 2:52).
- Que a medida que tú le enseñes la Palabra de Dios, él la atesore en su corazón y mantenga su andar puro (Salmo 119:9-11).
- Que sepa que Jesús es su mejor amigo, que puede caminar y hablar con Él, y desarrollar una relación de amor (Juan 15:15).

- Que desarrolle cualidades piadosas como la diligencia, la bondad, la honestidad, la compasión, la paciencia y la templanza. Concientízate de que cuando oras para que tu hijo desarrolle estas cualidades en su carácter, a lo mejor Dios quiere que tú madures de la misma manera (Colosenses 3:12-14).

*Ora Durante las épocas de desarrollo.*[3] De nuevo, orar por cada necesidad que nuestros hijos tendrán durante la vida puede ser agobiante. Te puede servir de ayuda orar específicamente por las etapas de desarrollo a medida que van pasando por ellas.

- Desde el nacimiento hasta los primeros pasos: Puedes orar para que tu bebé desarrolle confianza y un fuerte sentido de seguridad a medida que se une especialmente a ti. Mientras lo arrullas, lo alimentas y más importante aún, cuando estés tratando de consolarlo en la noche, dichas oraciones pueden recordarte la naturaleza crítica de este precioso tiempo juntos.

- Primeros pasos: Puedes orar para que tu hijo desarrolle un sentido sano de independencia. En estos años los niños empiezan a verse a sí mismos como diferentes y están desarrollando su concepto propio. Reconocer y apreciar esta época de autonomía puede ayudarte a reaccionar con paciencia cuando la palabra favorita de tu hijo de dos años es "¡NO!"
- Primera infancia: En estos años puedes orar específicamente para que tu hijo desarrolle una curiosidad sana, aprenda a jugar bien con otros, y a explorar y crear sin temor al fracaso.

- Años escolares: De 7 a 10 años, es la época de "destreza". Puedes pedirle a Dios que ayude a tu hijo a descubrir sus dones y talentos dados por Él, a desarrollar un sentido de satisfacción y gozo cuando usa sus destrezas para que crean que "yo puedo hacer esto, o tengo algo para contribuir". Este también es un tiempo crítico para el desarrollo de su consciencia.

*Ora por ti misma.* Aunque mayormente nos enfocamos en nuestros hijos, y con toda razón, no debes olvidar orar por ti misma también. Debido a que se te han encomendado estas nuevas vidas, puedes encontrarte a ti misma más necesitada que nunca, de la perspectiva, sabiduría y ayuda de Dios. Entonces puedes orar:

- Para que veas a tu hija con los ojos de Dios y le respondas con su corazón.
- Que veas por la ventanas del corazón de tu hijo y conozcas sus necesidades.
- Que tengas el corazón de Dios para saber cómo educar a tu hijo según su voluntad.
- Que seas llena con la Palabra, la sabiduría y el Espíritu de Dios diariamente.
- Que su gozo sea tu fortaleza para que cada día de estos breves años con tus hijos sea placentero.

Mientras oremos sin cesar, podemos hacer la diferencia en el saludable desarrollo, la salvación y el crecimiento en gracia de nuestros hijos. Podemos pedir grandes cosas para nuestros niños porque nada es imposible para Dios. Y podemos tener el gozo de mirarlo a Él trabajar en sus vidas mientras le colaboramos en oración para que su voluntad sea hecha, y para que Cristo sea glorificado en sus vidas.

*Señor, te agradezco por los preciosos hijos*
*que has confiado a mi cuidado. Concédeme*
*la gracia para que sea fiel orando por ellos,*
*y que nunca esté tan ocupada*
*que no pueda ir a ti con sus necesidades*
*y las mías. Oro por la sabiduría para*
*saber qué es lo más importante*
*en esta época, y para que tu amor cubra*
*todo lo que yo digo y hago.*

*En el nombre de Jesús. Amén.*

*Es por medio de la oración que conectamos*
*los poderes del cielo con nuestra impotencia,*
*los poderes que pueden convertir el agua*
*en vino y remover montañas en nuestra*
*vida y en las de otros, el poder*
*que puede despertar a quienes*
*duermen en pecado y resucitar*
*a los muertos; los poderes*
*que pueden levantar fortalezas*
*y hacer posible lo imposible.*

O. HALLESBY

CAPITULO CUATRO

.........

# La Oración Más Difícil:
## la Oración para Soltar

*Por este niño oraba, y Jehová me dio lo que le pedí.*
*Yo, pues, lo dedico también a Jehová;*
*todos los días que viva, será de Jehová.*
*Y adoró allí a Jehová*
(I Samuel 1:27-28)

Me senté en la vieja mecedora amarilla abrazando contra el pecho a mi primer bebé, Justin. Con un sentido de reverencia pasé mis dedos por su cabello café claro que se sentía como el aterciopelado plumaje de un patito que tuve un día de pascua. Vestido con un traje azul claro lo envolví en una cobija blanca nueva que le había regalado su abuela. Él estaba tomando pecho y haciendo pequeños gorjeos. Olía delicioso a bebé fresco después del baño.

Recorrí con la mirada el cuarto de mi bebé y recordé cuán cuidadosamente lo planeamos. Con nuestro limitado presupuesto escogimos muebles sin pintar y pintura económica; metódicamente alternamos cajones amarillos, lima, anaranjados y azules vivos para combinar todo lo demás (Ten en cuenta que esto fue a principios de los 70). Había escuchado que los bebés necesitaban un ambiente colorido y estimulante, y seguro que nosotros queríamos hacer todo bien. Una muñeca de trapo colgaba de la pared y un móvil musical pendía sobre la cuna de Justin.

Yo creía que la lactancia materna era lo mejor para el bebé, y que una mecedora era el lugar perfecto para darle pecho. Así que encontramos una encantadora por 10 dólares en un mercado de las pulgas, la ajustamos de nuevo y la pintamos de amarillo antiguo. Luego bordé un cojín para la silla, una desafiante tarea ya que nunca había bordado y podía ser categorizada como "inhábil costurera". Pero nada era demasiado trabajo para nuestro primer pequeño.

También le prestamos atención al cuidado prenatal. Traté de hacer ejercicio fielmente, no ganar mucho peso, y no comer mucho helado (mi debilidad que tenía un efecto directo con la meta anterior). Leí lo suficiente y descubrí que entre menos anestesia se use en el parto, mejor para el bebé. Así que a pesar de que nuestro único hospital en la ciudad daba a todas las madres anestesia general y usaba fórceps, si era necesario, le dije a mi gineco-obstetra que yo estaba aprendiendo el método Lamaze por mí misma, y que podía tener un parto natural. El médico estaba escéptico, ya que ninguna de sus pacientes daba a luz de esa manera. "Además", añadió: "Las reglas del hospital prohiben que tu esposo esté en la sala de partos, así que no lo tendrás para que te ayude en la parte más difícil".

Sin embargo, teníamos la seguridad de que esto era lo mejor para nuestro bebé. Como no había clases, conseguí un manual de "Lamaze", y Holmes me ayudó a practicar los ejercicios de respiración y relajamiento. "Puedo hacerlo", pensé. "Tenemos esto bajo control".

## ¿Quién Está en Control?

El primer indicador de que *no* todo estaba bajo control vino cuando mi médico me dijo que daría a luz un bebé en presentación podálica (de nalgas) que podía pesar hasta inueve libras! Efectivamente, el 31 julio de 1971, después de cuatro horas de trabajo de parto, di a luz un niño de ocho libras y media en presentación podálica. A pesar de que seguramente yo no lo habría planeado así, el método Lamaze y la gran determinación me ayudaron a pasar por esto. De nuevo estábamos en marcha.

Aun así, el segundo indicador de que no todo estaba bajo control, vino nueve meses después. Una tarde cuando acosté a nuestro determinadamente terco hijo para una siesta, escuché un llanto fuerte. Al verlo me di cuenta de que estaba inconsciente y su cuerpo rígidamente acostado sobre la cobija de la cuna. Lo alcé y desesperadamente empecé a darle suaves golpes en la espalda para reiniciar su respiración. En unos pocos segundos volvió a respirar, y yo también.

¡Definitivamente esto no era parte del plan!

Dos meses después volvió a ocurrir. Entonces un neurocirujano le dio un medicamento que convirtió a mi bebé activo en hiperactivo. Después de un difícil año, un neurólogo pediatra finalmente le diagnosticó un simple problema llamado "ataques de retención de la respiración", dificultad que una sabia paternidad corregiría.

El tercer indicador de que las cosas no estaban bajo control vino cuando Justin tenía cuatro años y comenzó a tener severos ataques de asma. Una nube negra de problemas médicos se posó sobre nuestro hogar. No podíamos salir de la ciudad sin que Justin se enfermara, y pasábamos mucho tiempo en la sala de emergencias.

En ese tiempo Dios comenzó a enseñarme un principio importante sobre renunciar al control y dejarle mis hijos a Él.

## La Oración para Soltar

No importa cómo lo llames, soltar, renunciar, liberar, dejar ir; cuando la situación lo demanda o cuando sientes un suave codazo para que le entregues tu hijo a Dios, esa es una posición escalofriante y uno de los problemas más difíciles que enfrentamos en la oración. Como madres fuimos hechas para criar a nuestros hijos, no para renunciar a ellos.

Puedes estar pensando: "He pasado años cuidando, amando, alimentando y protegiendo a mi hijo, y luego Dios me pide que ¿lo deje ir? ¡Eso es mucho pedir! Sencillamente es muy difícil". Esperamos que algún día nuestra hija vaya a la universidad o a un trabajo al otro lado del país, y luego se la entregaremos a Dios. Principalmente prometeremos cualquier cosa cuando la jornada ya ha sido larga, pero mientras nuestro hijo es pequeño, y la liberación ocurre prematuramente (a nuestro modo de ver), es mucho más dura. El simple pensamiento de tener que entregarle nuestro hijo a Dios puede incluso impedirnos orar por ello.

Como una madre lo explicó: "Me perturba la idea de que algo malo le pase a mi adolescente, y temo que tome una mala decisión. Ese temor me impide confiárselo a Dios y confiar en Él".

Leslie podrá enseñarnos algo acerca de la liberación y el control, ya que su hija Marlie, nació con un defecto congénito. Su corazón tenía huecos en las paredes de las recámaras verticales. Desde el momento cuando Leslie vio que su bebé tenía pegado un ecocardiógrafo con esparadrapo para determinar la seriedad del problema, estaba asustada y perturbada, y tomó las riendas del control tan fuerte como pudo.

Cuando Marlie fue examinada a los tres años, los médicos le dijeron que el defecto no se estaba corrigiendo por sí mismo como esperaban, y que probablemente tendrían que hacer una cirugía de corazón abierto. Las noticias rompieron el corazón de Leslie y le produjeron nudos en el estómago. Sus preguntas salían por montones: "¿Qué tan segura es la operación? ¿Cuáles son los riesgos? ¿Qué porcentaje de posibilidades hay de que sobreviva?"

"Todas las cirugías tienen sus riesgos", comenzó a decir el médico. "No hay procedimientos cien por ciento seguros…"

Leslie dejó de escuchar. Había una probabilidad de que Marlie muriera, y eso fue todo lo que pudo oír.

"Al comienzo estaba demasiado paralizada como para poder orar, y muy airada. No era justo. Muchas otras familias tenían hijos perfectamente sanos y no tenían que enfrentar tan dolorosas posibilidades", decía. Luego cuestionó a Dios y sus motivos: "¿Por qué a ella Dios? Si hay algo que yo necesito aprender ¿no hay una forma de que yo sufra en lugar de ella?"

Durante la seis semanas que duraron los exámenes para confirmar la cirugía, Leslie le pidió a todo el mundo que orara por sanidad, mientras ella luchaba con los "¿qué si…?", tratando de negociar con Dios por su hija. En medio del dolor, poco a poco Dios empezó a alcanzar a esta asustada madre.

"Finalmente caí en cuenta de que no podría entrar a la sala de operaciones con Marlie. Tendría que esperar mientras los médicos literalmente detenían su corazón y redirigían su función a una máquina. Yo no podía hacer la cirugía; ciertamente no estaba preparada en tan enredadas materias. Pero los médicos sí. Sabían lo que estaban haciendo, y Dios nos había dirigido a ellos. Por encima de mis clamores por ayuda, finalmente escuché su voz diciendo: 'Suéltala, yo la agarraré'".

"Oh Dios, ¿cómo es posible que yo haga eso?, me pregunté".

Era el juego de la cuerda donde cada equipo hala para su lado; Dios halaba de un extremo y Leslie del otro. "Suéltala, yo la agarraré", Prometió Dios. "No puedo… No quiero perderla… ¿Qué si no logras cogerla?", respondió Leslie. Luego se dio cuenta de que sus temores acerca de que Dios no interviniera en su propia vida aumentaron. Pero Él estaba tratando de alcanzarla y quería estar con ella antes, durante y después de la cirugía, si se lo permitía. Aunque Leslie no podía guiar las manos de los médicos durante la cirugía, Dios sí.

Finalmente Dios dio un tirón y ella se soltó y cayó en sus brazos. Entonces pudo ver que las dos estarían bien sin importar los resultados, porque Él estaba en control. No podía manejar esto sola, y Él nunca pretendió que lo hiciera. Él estaría con ellas.

Cuando Leslie aceptó el control de Dios sobre la vida de su hija, una paz vino sobre ella. Podía funcionar de nuevo, así que enfrentó la cita con el cardiólogo sin temor.

El día de la cita con los médicos llegó. La persona que administró el examen revisó en el ecocardiograma, las fotos del corazón de Marlie, señalando cosas en la pantalla. "Ese hueco es realmente pequeño y este también se ve muy pequeño", dijo de manera fría. Luego giró y mirando a Leslie y a su esposo dijo: "Le enviaré este video a su médico, pero parece que ella está sana".

A la mañana siguiente el médico confirmó sus hallazgos con las palabras: "No creo que necesite cirugía de corazón".

El corazón de Marlie estaba curado, como también lo estaba el de su madre.

Cuando Leslie dio ese difícil salto de fe, Dios estuvo allí para recibirla.

## Por Qué es Tan Duro Soltar

Enfrentémoslo. "Soltar" es, tal vez, el trabajo más duro de la maternidad, y por eso es que lo resistimos. Es renunciar no sólo a nuestro hijo sino también a nuestra propia voluntad y a nuestros deseos por los efectos de la situación. Sabemos que cuando damos le entregamos a alguien o algo a Dios, no siempre lo volvemos a recibir.

Pero tan duro como es, necesitamos examinar este asunto más de cerca, ya que la oración de soltar es uno de los secretos para que ésta sea respondida.[1] Todas nosotras la enfrentaremos. Puede que lo experimentes de lleno el primer día que tu hijo tome esa brillante lonchera nueva, camine vacilante hacia el gran autobús de color amarillo oscuro, y se pierda de tu vista yendo hacia la escuela. O puede que lo evites con éxito hasta el día cuando él empaque su orgullo y gozo con todas sus posesiones terrenales, te lance esa sonrisa que costó 2.000 dólares en cuentas de ortodoncia, y conduzca hacia la universidad, para nunca volver realmente a casa.

Esto sucede por etapas y también en momentos definidos.

A mí me sucedió cuando nuestro primer hijo tenía seis años.

## Oración de Apego

Yo estaba de pie junto a la cama de Justin en el hospital, orando intensamente por él. Había sufrido otro serio ataque de asma, y después de 24 horas en el hospital con todo tipo de tratamientos y medicinas, aún no estaba respondiendo. Mirándolo acostado allí, pálido y esforzándose por respirar, mi temor se intensificó.

El médico nos llamó a Holmes y a mí al pasillo para explicarnos que todo lo que se podía hacer por nuestro hijo había sido hecho. "Algo dentro de él tiene que revivir si va a salir de esta", dijo.

"¿Si... si él va a salir?" Yo había puesto mucha esperanza en lo que el médico y el personal del hospital podían hacer para tratar su asma. Y había hecho tan intensamente, oraciones de apego, insistiendo en lo que Dios debería hacer y reteniendo apretado a Justin contra mí, en lugar de abrir mis manos y confiar en Él.

Caminé por el pasillo hasta la capilla vacía y me senté, aturdida, exhausta, y sin reservas. En la tranquilidad de esa capilla y el vacío de mis recursos, Dios me pidió que orara algo diferente, algo muy difícil, una oración de renuncia. Me pidió que le entregara a nuestro hijo.

¿Has encontrado difícil confiar y entregar tu hijo al cuidado de Dios cuando tiene buena salud y todo va bien? El riesgo parece no tener comparación cuando un hijo está extremadamente enfermo o en problemas. Al igual que Leslie, yo luché con el pensamiento, ¿qué si Dios decide llevárselo? Ya había perdido un bebé y a mi padre, así pues, sabía que era una posibilidad.

Pero para lo que Dios nos llama, sólo Él puede proveer la gracia, y la proveyó para mí ese día en el hospital. Mientras una tempestad rugía afuera y los relámpagos iban y venían, el fuerte estruendo de un trueno atrajo mis pensamientos a Dios, quien sustenta el universo, quien hizo los cielos, la tierra, el mar y todo lo que está en él como dice el Salmo 146:6. El mismo Dios que envía los relámpagos y dispersa a los enemigos (Salmo 144:6) puede levantar su voz y derretir la tierra (Salmo 46:6). "Y yo ¿no puedo entregarle mi hijo a Alguien con tanto poder?", pensé.

En ese momento caí en cuenta de que el hecho de no entregarle a Justin a Dios podía impedir el mismo poder que le ayudaría. Cuando le confíe a Dios mi falta de confianza, sentí que Él me decía: "Espera en mí, confíame su vida por completo".

Incliné la cabeza y oré desde lo más profundo de mi corazón: "Padre, olvidé que Justin es tu hijo primero que todo, y que tú lo hiciste. Yo te lo devuelvo, pase lo que pase hoy". Una reconfortante paz llenó mi corazón y desplazó el frío temor.

Aunque yo no lo sabía, al mismo tiempo, arriba en el pabellón de pediatría, la condición de nuestro hijo comenzó a mejorar. Cuando entré en su habitación, un poco más tarde, él estaba sentado respirando normalmente, y su rostro lleno de color.

## Renunciar no Garantiza los Resultados que Deseamos

Hacer la oración de renuncia no significa que la persona por la que oramos siempre sea sanada, pero abre una puerta para que el poder y la presencia de Dios transformen la situación.

Cuando la hija de Maureen, Emily, tenía siete meses, sufrió una apoplejía porque le hacía falta una arteria en el cerebro. A los 11 meses otra apoplejía arrasó con todas las habilidades que ella había logrado hasta ese momento. Los médicos no pensaban que lograría salir del hospital.

Emily se recuperó lo suficiente para ir a la casa, pero lloró día y noche durante varios meses por el intenso dolor. Maureen no dormía. La cantidad de visitas al médico y los numerosos medicamentos no hacían ninguna diferencia. Su bebé seguía llorando hasta quedar exhausta. Luego dormía un rato, sólo para volverse despertar y llorar de nuevo.

Una mañana a las tres, Maureen se sentó temblando en el piso del baño junto a la calefacción, mientras sostenía a su babé de 13 meses. Impotente, exhausta y cargada, sus lágrimas corrían al igual que las de Emily. "Dios, no puedo más", lloró. "Te entrego a Emily. No puedo resolver esto. No puedo tomar ninguna decisión. La ayudaré y haré lo que tú me muestres".

La impotencia de Maureen fue la oportunidad para que Dios interviniera, y el comienzo de la sanidad de ambas. "Nada sucedió inmediatamente, excepto que la pesada carga comenzó a disminuir", dice Maureen. "Pero las cosas sí cambiaron desde ese punto. Sentí que Dios estaba en control y que *yo* sólo era quien ayudaba. Poco después los médicos encontraron una medicina que hizo más llevadero el dolor de Emily. Me encontré a mí misma orando por la guía y la sabiduría de Dios para los médicos, y mis frenéticos sentimientos comenzaron a desaparecer".

A los 18 meses, los médicos dijeron que Emily sólo tendría tres semanas de vida. Pero ella ha superpasado sus sombrías predicciones. Aunque discapacitada y en una silla de ruedas, con siete años, mejora cada día. Es una niña feliz y saludable que genera mucho gozo en su familia. Y Maureen sabe que nunca está sola en esto, que Jesús hablaba en serio cuando dijo: *Venid a mí todos lo que estéis trabajos y cargados, y yo os haré descansar* (Mateo 11:28).

## La Renuncia También nos Trae Libertad

"Numerosas veces he entregado totalmente mis hijos a Dios, sobre todo al mayor y sus problemas, cuando debería haberlo hecho una sola vez. Obviamente no se los he entregado totalmente", confesó una madre.

¿Puedes identificarte con el dilema de esta madre? ¿Alguna vez incluso te preguntas si Dios se cansa de que tú le estés llevando tus hijos en oración? Afortunadamente, Él sabe que liberar es difícil para los padres. Lo sabe porque Él entregó a su Hijo, para que viniera a la tierra a sufrir y morir en la cruz. Él entiende nuestro dolor cuando soltamos.

Cheryl, la madre de tres hijos de 28, 26 y 24 años, ha aprendido acerca de lo sabio que es liberarlos diariamente. Su oración es: "Señor, no sé qué será necesario para confórmalos a tu imagen, pero los dejo en tus manos para que cumplas tus propósitos y planes". Ella dice: "Señor, estos son mis pensamientos y planes, este es el carácter que me gustaría ver, pero aun abandono todo esto si no es el carácter y plan que tú tienes para ellos. Mi compromiso es amarlos y bendecirlos sin importar lo que tú o ellos hagan". Ella sabe que a pesar de que queremos buenas cosas para nuestros hijos, el Padre celestial busca su máximo bien. Cuando nosotras queremos una solución inmediata para los problemas, Él está haciendo cambios en sus corazones.

En algún momento durante la vida de nuestros hijos, tenemos que finalmente hacer en el área espiritual y emocional lo que Ana hizo en el área física cuando llevó a Samuel a vivir en el templo: dedicarlos o confiárselos a Dios. De otra manera, sofocamos, amarramos y tratamos de controlar.

Renunciar a nuestros hijos nos es fácil y no es una solución rápida; puede llegar con gran lucha y después de muchas lágrimas. Puede suceder en un momento de quietud y luego progresar a medida que los eventos exijan más renuncia, pero cada vez ésta llega a ser más completa hasta que un día nuestros hijos verdaderamente tengan "alas".

Mientras no olvidemos nuestras responsabilidades de criar, enseñar y orar por ellos, esta oración de renuncia nos lleva a descansar. Lo hacemos, aceptando que en realidad nunca estuvimos en control, en primer lugar, que nuestros hijos no son realmente nuestros sino de Dios, y que nosotras debemos cuidar de ellos, pero no controlarlos. Lo hacemos sabiendo que Dios tiene un futuro y una esperanza para ellos, no calamidad (Jeremías 29:11). Mientras ponemos las manos de nuestros hijos en sus manos celestiales, obtenemos la libertad de confiar en Él, disfrutarlos y vivir más mientras descansamos en Él para su dirección y ayuda.

## Poniendo Acción a Nuestras oraciones

Entonces, ¿cómo aprendemos a hacer esta difícil oración de renuncia? Quizá algunas de las siguientes sugerencias le serán de ayuda.

*Enciende una vela.* Después de que le hayas entregado a Dios los problemas de tus hijos, prende una vela como recuerdo. Cada vez que pases cerca de la vela mientras caminas por la casa, ésta te recordará que le has entregado el problema a Dios y que puedes confiar en su cuidado.

*Recuerda que la oración es para el incapaz.* Cuando te sientas incapaz, ya sea por una situación como la que Maureen enfrentó, debido a que luchas con un adolescente rebelde o un niño con problemas de aprendizaje, no permitas que esto te impida orar. Tu incapacidad puede, en efecto, abrir una puerta a la esperanza. Como el noruego O. Hallesby, el gran teólogo de la oración, dijo: "La oración es para el incapaz".

Cuando nuestro entendimiento de cuán poco podemos hacer está conectado con nuestra fe en todo lo que Dios puede hacer, abrimos la puerta a su poder. Entonces venimos a Él con "un corazón contrito y humillado sabiendo que no podemos merecer nada de Dios ni cambiar la situación nosotras mismas. Nos sometemos a Él así como un bebé se rinde al cuidado de su madre".[2] Hallesby usa una maravillosa analogía, con la cual nosotras las madres nos podemos identificar fácilmente, para explicar este secreto sobre la oración efectiva. "Tu bebé no te puede formular en palabras una simple petición. Aun así los pequeños oran de la mejor manera que saben hacerlo. Todo lo que pueden hacer es llorar, pero tú entiendes muy bien sus ruegos. Es más, los pequeños ni siquiera necesitan llorar. Todo lo que debes hacer es mirarlos en su incapacidad y dependencia de ti, para que una oración toque tu corazón de madre, una oración que es más fuerte que el llanto más duro". [3]

Así como nosotras oímos y le respondemos a un bebé, Dios nos responde. ¡Sólo que Él lo hace de manera perfecta y eterna! [4]

Quizá, al igual que yo, suspires de alivio al saber que tu incapacidad no te impide ir a Dios, sino que de hecho puede llevarte a sus brazos. Porque cuando somos débiles, abrimos el corazón y le permitimos que intervenga en nuestras angustias o crisis.

*Reflexión:* ¿En qué área de tu vida o de la de tus hijos te sientes más incapaz? Preséntale esa necesidad y tu sentido de incapacidad a Dios hoy.

*Gracias Señor porque tú estás*
*con las madres en todas las crisis*
*y problemas diarios de la vida de nuestros hijos,*
*y en la nuestra.*
*Gracias incluso por nuestra incapacidad, pues*
*ésta nos acerca a ti.*
*Quiero confiar en ti y creer que cuando vamos a ti,*
*tú estás allí.*
*Gracias porque no tenemos que solucionar los problemas,*
*sino sencillamente presentarnos nosotras mismas*
*y a nuestros hijos ante ti y saber que estamos*
*seguros en tus manos.*

*En el nombre de tu Hijo. Amén.*

*¡Oh, que volvamos nuestros ojos y corazón*
*de cualquier otra cosa*
*y los fijemos en ese Dios que escucha las oraciones*
*hasta que la magnificencia de sus promesas,*
*su poder y propósito de amor*
*nos colmen!*

ANDREW MURRAY

CAPÍTULO CINCO

......

# **Mandando tu Hijo** y Oraciones a la Escuela

*Otra vez os digo que si dos de vosotros*
*se ponen de acuerdo en la tierra*
*acerca de cualquier cosa que pidan,*
*les será hecho por mi Padre que está en los cielos*
(Mateo 18:19)

Finalmente el gran día ha llegado. El primer día de primer grado. La has preparado de la mejor manera posible. Le has comprado zapatos y vestidos nuevos. La has equipado con el paquete de 64 crayolas, tijeras, pegante, y suficientes lápices número dos para que le duren hasta la pubertad. Has empacado en su lonchera de Barbie, comida saludable y una pequeña nota para tranquilizarla, por si acaso. Pero cuando esa puerta del carro se abre y ella camina hacia la escuela, tan crecida y aún tan pequeña, tienes que dejarla ir y ponerla en las manos de alguien más.

Te preguntas: "¿Verá la profesora en mi hija los dones y talentos que yo veo? ¿Le simpatizará, y a mi pequeñita le simpatizará ella? ¿Habrá en el salón un ambiente positivo donde pueda aprender y desarrollarse? ¿Puedo confiar en esta profesora para que haga de este, un buen año para ella?

Has protegido a tu pequeña y le has enseñado que es una criatura especial y amada por Dios. Pero ahora es tiempo de ir a la escuela, una transición de control mayor. Ya no volverás a manejar su día. Otras personas, profesores y rectores, tomarán decisiones que la afectarán. Usará materiales y libros que tú no escogiste. Podrá ser tentada por las presiones del grupo o herida por el fracaso, problemas de aprendizaje u otros niños.

¿Qué puedes tú o cualquier otra madre hacer? Aunque no puedes ir a la escuela con ella, tus oraciones pueden acompañarla de una forma real y tangible. Y a través de esas oraciones Dios no sólo la puede guiar y proteger, también impactar todo la escuela y una facultad.

## Desde Pequeños Comienzos

Mientras Fern Nichols estaba de pie en su cocina una mañana de otoño, en 1984, veía a sus hijos Ty y Troy salir para el primer día de bachillerato. Ella sabía que enfrentarían nuevas pruebas, como resistir valores inmorales, lenguaje vulgar y presiones de grupo. Le preocupaba lo que había oído acerca del uso de alcohol y drogas, y el alto porcentaje de adolescentes sexualmente activos en la escuela. Su corazón clamó a Dios pidiendo que los protegiera y les ayudara a tomar buenas decisiones.

La mente de Fern evocó el año anterior cuando Ty había estado estudiando en una escuela cristiana, becado por ser buen jugador de baloncesto. Cuando le pidieron a ella que presidiera el devocional para el grupo auxiliar de mujeres, parecía una reunión natural de madres que oraba semanalmente por la escuela y sus hijos. Recordó la fortaleza que todas habían sentido y las evidencias de muchas oraciones respondidas en la escuela y en sus hijos. Había sido un tiempo fenomenal.

"Señor", dijo ella en voz alta, "era maravilloso orar por la escuela cristiana, pero la necesidad de orar por esta escuela es mayor. En esta secundaria debe haber *una* madre que vendrá y se unirá a mí para orar".

Inmediatamente el nombre de una madre vino a su mente, y Fern le preguntó si estaba interesada en que oraran juntas, a lo cual ella accedió de una vez. Como también tenía carga por sus hijos recibió con agrado el apoyo de orar con otra persona. Pensaron en dos o tres madres más y a la semana siguiente se reunieron para orar.

Fern no tuvo que desarrollar materiales o programas porque el año anterior había escrito un formato y unas guías que habían funcionado efectivamente para el grupo de madres de oración:

- Se reunirían una hora a la semana para orar por sus hijos y la escuela.
- Comenzarían y terminarían a tiempo (importante para mujeres ocupadas).
- No habría tiempo de espera o refrigerio ni tiempo social para hablar o chismear sobre los problemas de los niños o de la escuela.
- Seguirían los cuatro pasos de la oración: adoración, confesión, agradecimiento e intercesión.
- Orarían "acordemente", en forma de conversación, y concentrándose en un solo tema.
- Cualquier número de madres podría orar por cada tema hasta que éste estuviera totalmente cubierto.
- Lo que fuera mencionado en las oraciones sería totalmente confidencial dentro del grupo.

Usando este simple formato, las madres se encontraban cada semana para orar, y veían respuestas específicas.

El grupo creció a medida que más madres querían participar. Se esparció la noticia acerca de cuán maravilloso era orar por los hijos en lugar de preocuparse por ellos. Poco después, las madres con hijos en otras escuelas llamaron a Fern, diciéndole: "Necesitamos un grupo de oración por nuestra escuela. ¿Podrías venir y decirnos qué hacer?"

Dios incrementó el entusiasmo de Fern a medida que compartía su idea sobre las madres que oran por las escuelas. Pronto estaba invitada a muchos hogares para compartir el formato y las guías acerca de la hora de oración. En un año empezaron casi 30 grupos, y se abrieron otras oportunidades de compartir con damas de las iglesias. Madres en Contacto había comenzado.

Luego en el verano de 1985, la familia Nichols regresó de British Columbia a vivir en Poway, California, Estados Unidos, donde uno de sus hijos ingresó a la secundaria. Fern se apersonó del ministerio de Madres Unidas Para Orar, reuniendo un par de madres para orar por la escuela y sus hijos. Dios las reunió de manera poderosa, y vieron muchas oraciones respondidas. Mujeres de todas partes empezaron a llamar, pidiéndole que les ayudara a comenzar un grupo de oración por sus escuelas. Entonces el ministerio de Madres en Contacto se esparció por California, luego los Estados Unidos, e incluso otros países.

## El Poder de la Oración Unida

¿Qué hace que el ministerio de Madres Unidas Para Orar sea tan atractivo y efectivo? Creo que es en parte por la dinámica original de orar unidas. Mateo 18:19-20 explica un fundamento clave para la efectividad de la oración en grupo: *Otra vez os digo que si dos de vosotros se ponen de acuerdo en la tierra acerca de cualquier cosa que pidan, les será hecho por mi Padre que está en los cielos, porque don-*

*de están dos o tres congregados en mi nombre, allí estoy yo en medio de ellos*. ¡Que promesa!

Si hay poder en una oración individual, con mayor razón en grupo. Como la autora Rosalind Rinker dice: "La oración con otras mujeres nos da nuevas hermanas... en Cristo. Entre más oramos con otras personas, más empezamos a confiar en ellas, y podemos ser más honestas sobre nuestras necesidades personales. Se quita la timidez y podemos orar por nuestros verdaderos problemas, no sólo por los superficiales. El compañerismo genuino es una condición dada por Dios, y los corazones son unidos en su presencia. Podemos depender de esa presencia porque Él dijo: *...Allí estoy yo en medio de ellos*".[1]

La oración en grupo responde a la amonestación que Pablo nos hace acerca de *sobrellevad los unos las cargas de los otros* (Gálatas 6:2). Como Rinker, dice: "Jesús sabe que los problemas de la vida nos presionan cuando estamos solos hasta que el espíritu está casi quebrantado",[2] pero cuando esas cargas son compartidas, se hacen más ligeras.

Me encanta cómo Petra, una madre del grupo de Madres Unidas Para Orar en Suiza, lo explica: Cada miércoles en la noche cuando nos reunimos a orar por nuestros hijos, es como si estuviéramos entretejiendo nuestras oraciones para formar un tapete bajo nuestros hijos y para fortalecer nuestra fe en nuestro Todopoderoso Dios. ¡Qué regalo es orar juntas, haciendo conocidas delante de Él todas nuestras alabanzas y ansiedades! Y qué regalo tener mujeres cristianas como compañeras de oración. Siento que cuando ellas oran, es casi como si adoptaran a mis hijos y los encomendaran a Dios".

Un grupo de cinco mujeres en Carrollton, Texas, descubrió los beneficios cuando llegó a la primera reunión de Madres Unidas Para Orar de primaria, y rápidamente supo que cuatro de ellas tenían un hijo con problemas de aprendizaje.

"Hay dos cosas que nunca olvidaré", dice Marta, la líder. "Primero el increíble sentimiento de sobrellevar las unas las cargas de las otras, y cómo esto disminuía nuestra ansiedad. Ninguna de nosotras ha tenido alguna vez a alguien con quién orar por los problemas de aprendizaje de nuestros hijos. Lo segundo fue que la pestañina se corrió. Lloramos y lloramos juntas ese día, y salimos sintiendo que Dios nos había dado algo que realmente necesitábamos... la sensación de que no estábamos solas".

Otra fortaleza de la oración en grupo es que trae una mayor consistencia a nuestra vida de oración, una inquietud que muchas mujeres expresan. Tal vez nuestro tiempo de oración no es tan regular como nos gustaría que fuera. Quizá no sentimos que estamos dando suficiente atención en oración a algunas necesidades. La culpa se introduce y pensamos: "No puedo hacer esto. Nunca seré una guerrera de oración. ¿Para qué intentarlo?" Eso es justamente lo que el enemigo quiere, desanimarnos para que nos demos por vencidas en nuestra oración diaria. Pero si estamos orando consistentemente cada semana con otras madres por nuestros hijos y sus escuelas, durante una hora, nos estamos enfocando en algunas de las necesidades que más nos preocupan. Ese tiempo consistente de oración unida ayudará a desarrollar nuestra vida de oración diaria.

## Tendiendo la Manta de Oración

"Una de las experiencias más extraordinarias sobre la oración con otras madres es que tú piensas que sabes lo que tu hijo necesita, hasta que otra madre ora por algo en lo que tú nunca habías pensado. Luego una tercera madre ora por las necesidades de tu hijo desde un ángulo diferente, y tú comienzas a sentir al Espíritu cubriéndolo. Es maravilloso sentir eso", dice Becky, una madre de Oklahoma.

Cuando su hijo José estaba en primer grado, fue inscrito en un programa para niños con problemas de aprendizaje porque tenía dificultades para aprender a leer. La familia se tuvo que mudar muchas veces y cuando él presentó un examen para tercer grado, fue clasificado en un nivel de lectura de primer grado. Becky se frustraba al verlo desanimado y luchando en la escuela día tras día. Ella misma estaba desanimada y preocupada.

Luego Becky oyó sobre el grupo de madres de oración en la escuela y comenzó a asistir semanalmente. Las otras madres se unieron a ella en oración por José, no sólo una vez por semana, sino todos los días en su tiempo devocional.

Cuando le estaban haciendo el examen de diagnóstico, el grupo oró intensamente por José. Pidieron a Dios por sabiduría para quienes le estaban haciendo el examen y que les guardara de estereotiparlo o calificarlo mal. Oraron por la ayuda de Dios en cada aspecto de su aprendizaje y su confianza para mejorar. Ellas lloraron con Becky cuando las cosas eran difíciles y se regocijaron cuando el trabajo escolar de José comenzó a mejorar.

Después de varios meses de oración era evidente la respuesta de Dios. Cuando José presentó el examen otra vez en mayo, había progresado extraordinariamente, y pasó del primer grado de lectura al cuarto grado. "Cuando comenzaron las clases en el otoño, los profesores y el rector dijeron que su progreso era tal que lo habían pasado a los cursos normales en lugar de dejarlo recibiendo las clases en el programa para niños con problemas de aprendizaje". Dice Becky: "Saber que no estaba sola significó tanto para mí, pues incluso cuando estaba en la casa orando por José, otras madres también lo hacían.

## Orando por los Profesores

Es fácil orar por las necesidades de nuestros hijos, pero no por quienes dirigen sus días, especialmente si tenemos una mala opinión de ellos o de su método de enseñanza. Cuánto más importante es presentarlos delante de Dios cuando cuestionamos su influencia en nuestros hijos.

Durante los primeros grados cuando los niños están en un mismo salón y pasan el día completo con un profesor, muchas madres oran para que tengan "justo el profesor correcto", el que sacará lo mejor de sus hijos. Los padres irán a muchos detalles para asegurar un buen entendimiento. Pero ¿qué cuando a tu hijo se le asigna el peor profesor de la escuela? ¿Pueden tus oraciones hacer la diferencia en el profesor y en tu hijo?

B.J. experimentó esto el día de orientación en la escuela. Ella y su hijo Austin, que estaba en segundo grado, miraban las hojas de los registros, pegadas en la pared, buscando la profesora a la cual había sido asignado. Cuando B.J. encontró el nombre de Austin, las lágrimas comenzaron a correr por su rostro.

"Mamá, ¿esas lágrimas son de gozo?", preguntó el niño.

"Sí, ella es la profesora que Dios escogió para ti", respondió abrazándolo.

En realidad, B.J. estaba llorando porque su hijo había sido asignado a la profesora más dura y discriminante de la escuela.

Efectivamente, pronto la profesora desarrolló una singular antipatía hacia Austin. Justo ante otros estudiantes y padres, le hablaba imprudentemente a B.J.: "Su hijo estuvo horrible hoy. Tiene que..." Regularmente lo reprendía en clase, y reaccionaba ante sus acciones causándole problemas. Los conflictos y los problemas se intensificaron.

Pero B.J. se comprometió a no criticar frente a Austin. Por el contrario, trabajaba como voluntaria en la escuela y vio de primera mano las frustraciones de la profesora con su clase. B.J. buscó cosas que la profesora hacía bien para elogiarla tanto a ella como a su hijo, al cual animó para que cooperara.

Sobre todo, oró por esta profesora cada semana en la reunión de Madres Unidas Para Orar. Fue guiada a orar Hechos 26:18, pidiéndole a Dios que abriera los ojos de la profesora y los sacara de la oscuridad a la luz para que pudiera recibir el perdón de sus pecados y un lugar entre aquellos que son salvos por la fe en Cristo. Las cosas para Austin no mejoraron, pero los meses pasaron y ellas continuaron orando. B.J. sintió que él estaba en la clase de esta profesora con un propósito.

En mayo, la profesora asistió a un programa evangelístico en una iglesia de su ciudad, y allí aceptó a Cristo. Durante las últimas semanas de estudio, las madres vieron una transformación asombrosa en su vida. La aspereza y la crítica fueron reemplazadas por palabras de ánimo.

Ahora, años después, B.J. oye de parte de ese grupo de Madres en Contacto cuán maravillosa y amorosa es esta profesora, pues se ha convertido en la favorita de niños y padres. Ahora cuando viene a la secundaria para las reuniones, busca a Austin para saludarlo. O si ve a B.J., le pregunta: "¿Cómo está su hijo?"

"Las oraciones de nuestro grupo cambian, no quitan, si los profesores son difíciles", dice B.J. "Después de todo ellos pueden ser enviados a una escuela donde no hay un grupo de Madres Unidas Para Orar. Oramos para que Dios ablande sus corazones, y es asombroso cuántos profesores hemos visto que han sido tocados por Él".

Otra historia exitosa es la del joven profesor de arte, en la escuela, cuyo salón siempre estaba fuera de control. Él literalmente se halaba el cabello regañando y enfureciéndose con sus alumnos. Durante todo un año, el grupo de Madres Unidas Para Orar lo elevó en oración cada semana. Al siguiente año Dios ablandó su corazón hacia los niños, dándole a él y a su esposa un bebé. Este profesor ha llegado a ser uno de los favoritos de los niños, y recientemente fue nombrado el "Profesor del Año".

## Orando por Asuntos Cuestionables

Puesto que las armas que empuñamos en la oración son espirituales, no tenemos que ir donde el rector o la junta para librar todas las batallas. Como 2 Corintios 10:4, dice: *...porque las armas de nuestra milicia no son carnales, sino poderosas en Dios para la destrucción de fortalezas...* Podemos lograr más en nuestras rodillas que en nuestro podio. Y esto no se aplica sólo a grandes asuntos como la educación sexual, los libros de texto y el curriculum, la oración también afecta las decisiones prácticas (Sí, una vez más Dios nos recuerda que Él está dispuesto a trabajar en los detalles normales tanto como en los grandes proyectos).

En una escuela, por ejemplo, iba a ser instalada una alfombra durante las dos semanas antes de las vacaciones de navidad, lo cual forzaba a los profesores a tener las clases en el pasillo (como si esas semanas no fueran suficientemente caóticas). Las madres oraron para que la alfombra no llegara hasta las vacaciones de navidad con el fin de que no interrumpiera las clases. A pesar de que el rector les decía todos los días a los profesores: "Prepárense para mover los escritorios al pasillo porque la alfombra llega mañana", ésta sólo llegó un día después de que los estudiantes salieron a vacaciones.

En una escuela de Illinois, el grupo de madres había estado orando desde que comenzaron las clases para que el rector, a pesar de que no era creyente, minimizara el aspecto satánico del Halloween e hiciera que las celebraciones de la escuela fueran más sanas. Ninguna de las madres habló con él sobre sus preocupaciones, y en lugar de esto, batallaron de rodillas y confiaron en que Dios haría su parte. Dos semanas antes del Halloween, el rector anunció que estaba preocupado por el lado oscuro de esta fiesta. Había decidido que las fiestas de cada clase tendrían un tema de circo, y que no se permitirían los disfraces de vampiros y brujas.

En otros momentos, sin embargo, los grupos de madres que oran juegan un papel visible en la toma de decisiones. A comienzos del año escolar de 1996 el distrito de Canby, Oregon, estaba plagado con problemas incluyendo un paro del sindicato de profesores por resolverse. Cuando los grupos de Madres Unidas Para Orar ofrecieron un desayuno para los pastores y administradores del área con motivo del regreso a clases, el superintendente les pidió a las madres que oraran por las negociaciones del contrato con los profesores que comenzarían en octubre.

Las madres oraron cada semana tanto por los profesores como por los administradores de la escuela. Oraron por unidad para que los contratos pudieran ser acordes tanto para los maestros como para los administradores. Oraron para que los profesores cristianos vieran su trabajo como un ministerio, por la provisión de Dios para ellos, pero sobre todo para que la visión de quienes tomaban las decisiones fuera la mejor para los niños. Sus oraciones fueron respondidas poderosamente cuando ambos lados aceptaron los nuevos contratos y el paro fue suspendido.

Nancy, una líder de grupo de Madres Unidas Para Orar en Hawaii, sabe de la diferencia que las oraciones de una madre hacen. En un otoño leyó un pequeño artículo en la última página del periódico, anunciando que esa semana se distribuirían condones en una escuela de primaria y otra de secundaría en un área escasamente poblada de Kauai. Preocupada por la manera cómo esto afectaría a sus hijos, Nanci llamó a su grupo de madres para interceder. Oraron intensa y continuamente por los chicos. Ese jueves en la noche, el artículo de primera página en el periódico decía: "Los condones no serán permitidos en las escuelas de Hawaii".

"He aprendido a través de muchos años de oración por nuestros hijos y sus escuelas, que es la oración la que cambia las cosas", dice Nanci.

## Orando por los Rectores

Quizá más que cualquier otra persona, un rector tiene influencia en las circunstancias y la atmósfera de aprendizaje de una institución. Incluso si no cree en la oración, difícilmente puede resistir el poder que ésta ejerce sobre él por un grupo de serias y sinceras madres orando unánimes.

A un Rector de Lewisville, Texas, le fue diagnosticado cáncer cerebral a comienzos del año escolar, lo cual significaba cirugía, radio terapia y varios meses de licencia del trabajo. El pronóstico de los médicos sobre su recuperación era extremadamente negativo. La filosofía del rector era: "Dios está allá afuera en alguna parte, pero no tiene mucho que hacer conmigo" (él sabía muy poco). Los grupos de madres oraron cada semana durante el año escolar por su recuperación y fortaleza, pero especialmente para que esta experiencia lo acercara a Dios.

Para la primavera, mientras el rector recobraba las fuerzas, comenzó a venir medio tiempo a la escuela. Después, como sus exámenes cerebrales de mayo y julio indicaron que estaba totalmente limpio del cáncer, pudo volver de tiempo completo al siguiente otoño.

"Sin embargo, lo más emocionante fue el cambio que vimos en él", dice Nicki, la líder de Madres Unidas Para Orar. El día de orientación un padre le preguntó cómo se sentía, a lo que respondió: "Alabo a Dios cada día por mi salud". En el boletín de la escuela continuamente ha expresado su gratitud a todos lo que oraron por él, y por el milagro de su salud.

Aun cuando las circunstancias no sean una amenaza contra la vida, las madres que oran pueden hacer un impacto en los rectores a través de su constante apoyo en oración. Bárbara, la líder del grupo de Madres Unidas Para Orar de Rollings Hills, una escuela de primaria en San Diego, se acercó al rector para hacerle saber que estarían orando por él y la escuela. Aunque él estaba dispuesto a que las madres le dieran a los profesores y a la junta los obsequios que habían preparado, se sentía incómodo con las oraciones.

En un año, este rector fue trasladado a una escuela diferente en el área. Mientras sirvió allí por siete años, estuvo rodeado de maestros y padres cristianos y un grupo de Madres Unidas Para Orar que continuó orando por su salvación. Cuando fue trasladado de escuela por tercera vez, otro grupo continuó orando por él durante dos años más.

Después de 10 años de constantes e innumerables oraciones de tres grupos diferentes de Madres Unidas Para Orar, este rector aceptó a Cristo en una iglesia local. Ahora es un testigo fuerte de Cristo entre los otros rectores y administradores en los distritos de San Diego y Poway.

Cuando tu hijo comienza la escuela...

Cuando te preocupa un profesor, un rector, un texto guía, un curriculum...

Cuando te preocupas por la cantidad de nuevas influencias en ese pequeño que has criado…

¡Ora!

Luego busca otra madre o un grupo de madres para que oren contigo.

Dios estará allí.

## Poniendo Acción a Nuestras Oraciones

A continuación algunas formas prácticas para poner a trabajar estas ideas.

*Reunir dos o tres en su nombre.* No se necesita un gimnasio lleno de gente para que Dios se mueva en su escuela. Pídele que provea otra madre para que se una a ti cada semana en oración. Cuando la encuentres y comiencen a reunirse, oren para que Dios traiga otras madres que quieran interceder por sus hijos. Mientras tanto, comienza a orar por un problema que hay en la escuela o el profesor que está enfrentando un tiempo difícil. Si quieres comenzar un grupo de Madres Unidas Para Orar escribe a MITI; P.O. Box 1120; Poway, CA 92074-1120, Estados Unidos y pregunta por un folleto y guías para los líderes; estos proveerán todo lo que necesitas para comenzar. También puedes investigar si ya existe un grupo de Madres Unidas Para Orar en tu área para que te unas a él.

*Encuentra una compañera de oración.* A veces no podemos esperar una semana para orar por ciertos problemas. ¡Qué bendición tener a alguien a quien puedes llamar en el momento cuando recibes la noticia para orar! Dos madres que conozco intercambian listas de oración por las necesidades de sus hijos cada semana y luego oran por lo menos una vez por semana en el teléfono.

Peggy, mi compañera de oración y yo, frecuentemente oramos en el teléfono por nuestros ocho hijos (cinco de ellos en la universidad). Saber que ella tomará mi petición justo delante del Señor en oración y la guardará confidencialmente, significa mucho para mí.

*Usa los cuatro pasos de la oración*. Para oraciones en grupo, al igual que para oraciones privadas, prueba el método clásico de oración que Madres Unidas Para Orar usa: alabanza, confesión, acción de gracias e intercesión. Muy a menudo nosotras ponemos delante de Dios las necesidades de nuestros hijos como una lista de mercado, y olvidamos darle gracias por la forma como respondió las oraciones de la semana anterior. Los cuatro pasos de la oración pueden enfocar nuestros pensamientos y evitar que se desvíen.

- *Alabanza*: Primero pasa dos minutos en alabanza, enfocándote en el carácter y los atributos de Dios, en lugar de hacerlo en los problemas, concentrándote en que la omnipotencia de Dios nos libra de cargas, y nuestra alabanza nos acerca a Él. "La alabanza levanta nuestros ojos de la batalla, hacia el vencedor. La alabanza aleja la frustración, la tensión, la depresión y el temor. La alabanza limpia la atmósfera, deshace el humo y la niebla para que podamos ver claramente quién está en control. Nuestro enfoque es llevado de la complejidad del problema a la suficiencia de los infinitos recursos de Dios",[3] dice Fern Nichols.
- *La Biblia*, especialmente los Salmos, está llena de pasajes de alabanza y reflejos del carácter de Dios que pueden inspirar nuestra alabanza. Lee en voz alta un Salmo, para alabarle. Si estás realmente deprimida, ora a Él los últimos siete Salmos, uno cada día de la semana; tu corazón se desbordará en alabanza. A Dios le encanta escucharnos decir que lo amamos.

- *Confesión.* Confesar es estar de acuerdo con Dios en que hemos pecado, y decírselo. Este hecho restaura nuestra comunión con Él. Es una parte importante de cualquier tiempo de oración, porque la verdad es que si guardamos la iniquidad en nuestro corazón, el Señor no oirá nuestras oraciones (Isaías 59:2). Pídele que haga brillar su luz y te muestre palabras, acciones y actitudes que no le agraden, cualquier rencor o disgusto que está sin resolver. Cuando hablas honestamente con Dios sobre tus pecados, hasta el punto de quedarte corta, puedes depender de Él para que te limpie (I Juan 1:9). Luego dale gracias a Dios por la llenura de su Espíritu y pídele que dirija tus peticiones.
- *Acción de gracias.* Da gracias y honra a Dios por lo que ha hecho (ver 1 Tesalonisenses 5:18 y el Salmo 50:23). Pídele que te ayude a recordar las respuestas que Él ha dado a tus oraciones. A menudo le pedimos tantas cosas que fallamos en reconocer cuando llegan las respuestas. Podemos agradecerle por las bendiciones materiales, físicas y espirituales, por el regalo de nuestros hijos, y sobre todo, por la salvación a través de Cristo.
- *Intercesión.* La intercesión significa suplicar a favor de otro, pararse en la brecha por otros. El tiempo de intercesión es amor de rodillas, es decir, que no estamos orando por nuestras necesidades personales, sino por las de otros; nuestros hijos, sus compañeros de clase, profesores y comunidad escolar.

Nuestras oraciones pueden ser simples y cortas, como la de Pedro: *Señor, sálvame,* o como la del hombre arrepentido: *Dios ten misericordia de mí, pecador*. Lo que importa no es la composición de las palabras, sino la intención que hay detrás de ellas. Y cuando basamos nuestras peticiones en la Palabra de Dios orando versículos específicos, Él nos llena de confianza, porque sabemos que estamos pidiendo de acuerdo a su voluntad.

*Señor, ayúdame a ser una fiel intercesora por mis hijos.*
*Muéstrame qué tienes en tu corazón para ellos*
*a fin de que yo pueda orar de acuerdo a tu voluntad.*
*Ensancha mi corazón para orar por sus*
*profesores y sus escuelas,*
*y trae otras madres para que se unan conmigo en oración.*
*Gracias porque mientras oro, el Espíritu Santo intercede,*
*debido a que yo no debo tener las respuestas o las soluciones,*
*pues tú las tienes.*

*En el nombre de Jesús. Amén.*

*Nuestras oraciones tienden los rieles*
*por los cuales puede venir el poder de Dios.*
*Como una poderosa locomotora,*
*su poder es irresistible,*
*pero no puede alcanzarnos sin los rieles.*

WATCHMAN NEE

CAPÍTULO SEIS

# La Persistencia de una Oración a Largo Plazo

*También les refirió Jesús una parábola sobre la necesidad de orar siempre y no desmayar...*
(Lucas 18:1)

Nunca sabrás qué es el invierno hasta que lo hayas pasado en Maine. Era domingo. Estábamos inmovilizados por una nevada, y la temperatura estaba como a nueve grados bajo cero.

Pensando en que era imprudente desafiar el camino a la iglesia, decidimos tener un tiempo de comunión en casa. Después de que Holmes comenzó con una oración y leyó la Biblia en voz alta, le dimos a cada uno de nuestros tres hijos una hoja en blanco y les pedimos que hicieran un dibujo describiendo nuestra relación con Dios, y cómo nos sentíamos con Él. Siendo una maestra de corazón, pensé que esto daría pie para una buena discusión espiritual.

Después de unos pocos momentos pensando y dibujando, nuestros hijos compartieron sus dibujos. Alison de 11 años, nos mostró un corazón grande y una niña dentro. "Esa soy yo, justo cerca al corazón de Dios", explicó.

Chris, de 13 años sostuvo su detallado dibujo con el borde enladrillado de una ventana y un niño colgando apenas del apoyo de la misma. "Así es como me siento en este momento con todos los cambios y en una nueva escuela. Estoy aferrado a Dios".

Cuando le llegó el turno a Justin, nuestro hijo de 15 años, mostró una hoja en blanco y dijo que tenía cosas para hacer arriba en su cuarto.

Mi corazón se fue a pique.

## Señor, Enséñame a Orar

Cuando Justin inició el bachillerato, su corazón comenzó a desviarse de Dios, y rápidamente dejó su fe infantil. Ser aceptado, ser parte del grupo popular en la escuela tuvo mayor prioridad que estar con el grupo de jóvenes. Acepto que él había pasado por algunas experiencias difíciles. Había sido desilusionado por un ministro de jóvenes. Estaba decepcionado con Dios porque el negocio de su padre había fracasado, haciendo que nos mudáramos a dos mil millas de los amigos. Su mejor amigo en la ciudad donde antes vivíamos había sido gravemente herido en un accidente automovilístico. Con cada tragedia, puso más distancia entre él y Dios.

La preocupación por nuestro hijo estaba unida con mis sentimientos de impotencia para cambiar su corazón o la situación; pero esa misma impotencia encendió una llama dentro de mí. Dediqué mayor tiempo a investigar cómo podía orar más efectivamente por él. "Señor enséñame a orar por mis hijos", le pedí. "Hazme una fiel intercesora, muéstrame sus necesidades, dame tu perspectiva, y ayúdame a cooperar con tu voluntad para sus vidas", se convirtió en mi oración continua.

Dios simplemente estaba esperando que yo pidiera. Comencé a encontrar muy clara dirección en la Biblia sobre cómo interceder efectivamente. Hacía algún tiempo en mis devocionales diarios había comenzado a orar versículos. Ocasionalmente, cuando un pasaje hablaba a mi necesidad o a la de alguno de mis hijos, escribía el nombre y la fecha en el margen de mi Biblia para acordarme de orarlo continuamente. Por ejemplo, cuando leí Colosenses 2:6-7, escribí en el margen "Oración por J,C y A". Oré que como ellos habían recibido a Jesucristo el Señor, tuvieran la gracia para andar *en él, arraigados y sobreedificados en él y confirmados en la fe, así como habéis sido enseñados, abundando en acciones de gracias.*

Entonces ahora yo le pedía al Espíritu que me mostrara su voluntad, y los versículos específicos para orar por mi hijo. Como me llevó a Efesios, oré cada día *que el Dios de nuestro Señor Jesucristo, el Padre de gloria, os [le] dé espíritu de sabiduría y de revelación* para que conozca mejor al Padre. Oré *que él alumbre los ojos de [su] entendimiento* (para que encienda la luz de su entendimiento espiritual) y así sepa *cuál es la esperanza* a la que ha sido llamado en Cristo, el grande propósito y el plan que Dios ha tenido para su vida (Efesios 1:17-18). Cuando debía tomar una decisión, oraba para que estuviera lleno del conocimiento de la voluntad de Dios *en toda sabiduría e inteligencia espiritual* y para que pudiera andar de tal forma que agradara a Dios (Colosenses 1:9-10).

No sabía cómo Dios completaría esta hazaña. De hecho, muchas veces sentí que no pasaba nada. Hasta donde yo podía ver la situación de seguro no estaba cambiando. Aun así, entre más oré por mi hijo, menos me preocupé por él. Así Justin estuviera cambiando o no, orar estos versículos fortaleció mi fe porque sabía que estaba pidiendo de acuerdo con la voluntad de Dios, como dice la Biblia.

Sabía que esos versículos reflejaban lo que Dios quería para nuestro hijo, una relación más estrecha con Él, un propósito, una esperanza, y me di cuenta de que Dios, a través de su Espíritu, Anhelaba a Justin y deseaba, aún más que yo, que volviera al hogar con Cristo. Después de todo, Él era quien había puesto los versículos en mi corazón para que los orara a favor de mi hijo.

Entonces mi confianza en Dios y sus promesas aumentó mientras continuaba orando día tras día, semana tras semana, mes tras mes, aunque afuera aún nada cambiaba. Después de la graduación, Justin fue a una universidad fuera del estado y a ocho horas de nuestra casa. Aunque continué orando la Palabra para su vida, podía sentir que nuestra influencia se desvanecía.

## Ora la Palabra de Dios

¿Por qué orar versículos? Cuando hablo con mujeres, me doy cuenta de que una de sus frustraciones con la oración es no saber qué decirle a Dios o cómo expresarlo. "Me suena mejor cuando alguien más ora", dice una mujer. "No siento que mis palabras sean las correctas".

Sin su Palabra, encuentro que nuestras oraciones se hacen áridas, sin vida y vagas. Con ella son nutridas, y lo que necesitamos orar es iluminado. "La verdadera oración son las palabras de Dios en tu boca", dice Jennifer Dean en *The Praying Life* (La Vida de Oración). *La Palabra* de Dios *es viva, y eficaz, más cortante que toda espada de dos filos…* nos dice Hebreos 4:12. Dios nos promete que su Palabra llevará fruto: *…así será mi palabra que sale de mi boca: no volverá a mí vacía, sino que hará lo que yo quiero y será prosperada en aquello para lo cual la envié* (Isaías 55:11).

Mi amiga Melanie ha visto cómo el orar la Palabra de Dios puede lograr su propósito. Hace muchos años estaba profundamente preocupada por su hermana Karen. Ella no estaba caminando con Cristo, y sus dos adolescentes habían salido en rebeldía de la casa, rehusando aun el hablar con sus abuelos e incluso con Melanie. Ella sabía que otros miembros de la familia habían tratado de hablar con Karen, pero no surtía efecto.

Entonces Melanie dispuso algunas páginas especiales en su diario de oración. Escribió en el lado izquierdo el motivo por el cual estaba orando: la salvación de su hermana, el regreso de su sobrina y sobrino al hogar y a Cristo, y por las relaciones. En la mitad de la hoja escribió los versículos que iba a orar para su hermana, y al lado derecho escribió: "Fecha de Respuesta".

Cada día en lugar de lamentarse con Dios por su tremenda situación, Melanie oró esos versículos. Aunque escuchaba noticias desanimantes sobre sus sobrinos, siguió orando la Palabra. Mientras lo hacía, Dios fortaleció su fe en cuanto a que Él haría lo imposible.

En el transcurso de un año, Karen fue salva, y las relaciones restauradas. A los desobedientes adolescentes les faltaba mucho para madurar, pero estaban de nuevo en el curso correcto.

"Entre más incorporemos las Escrituras en nuestras oraciones, más probablemente estamos orando en la voluntad de Dios, porque Él siempre respalda lo que ha dicho", dice Judson Cornwall.[1] El Salmo 138:2-3 lo confirma, diciendo: *Me postraré hacia tu santo Templo y alabaré tu nombre por tu misericordia y tu fidelidad, porque has engrandecido tu nombre y tu palabra sobre todas las cosas. El día que clamé, me respondiste; fortaleciste el vigor de mi alma.*

Catherine Marshall, esposa de Peter Marshall, explica lo que encontró escrito en la Biblia de su esposo: "Es la palabra de un caballero del más sagrado y estricto honor, y hay un fin en ella, David Livingstone"

Debajo estaba la firma de Peter. Cuando ella le preguntó sobre la frase, él le explicó: "En estas páginas están las palabras vivas de un Dios vivo. Estas palabras incluyen bastantes promesas, muchas de las cuales tienen condiciones adjuntas. Todo lo que tenemos que hacer es cumplir con las condiciones, luego levantarnos y esperar su cumplimiento.

Cuando oramos estas promesas para nuestros hijos y para nosotras mismas, versículos como Jeremías 29:11: *Porque yo sé los pensamientos que tengo acerca de vosotros, dice Jehová, pensamientos de paz y no de mal, para daros el fin que esperáis.* Y Filipenses 4:19: *Mi Dios, pues, suplirá todo lo que os falta conforme a sus riquezas en gloria en Cristo Jesús.* Nuestras oraciones llegan a estar llenas de fe y no de duda. Confiamos en Dios para que cumpla sus promesas a su manera y en su tiempo.

## Sé Paciente y Persistente

En esta larga aventura de orar por Justin (por lo menos para mí lo fue), continué escribiendo las promesas de Dios y los versículos mientras Él parecía señalarlos cuando se aplicaban a la situación de Justin. Todavía aparentemente no sucedía nada. Se unió a una fraternidad en la universidad, parrandeaba con los muchachos todo el fin de semana, dormía hasta tarde los domingos, y evadía cualquier conversación seria cuando venía a casa los días festivos. Las conversaciones espirituales estaban fuera de sus planes. Parecía más distante de Dios que nunca. "Es mi fe mamá, no puedo hacer lo que tú y papá creen", dijo un día que lo interrogué. "Tengo que descubrir las cosas, y todavía no estoy seguro de lo que creo".

"Persevera en la oración y confía en mí", parecía decirme Dios cuando mi ánimo flaqueaba. Él me animaba por medio de los relatos de las madres que, en la historia, habían orado por sus hijos que se encontraban "alejados". Leyéndolas, recordé que mi situación no era nueva; Dios ha estado involucrado por largo tiempo en el proceso de devolver los pródigos a casa. Esas madres de siglos pasados sintieron las mismas preocupaciones que yo. Ellas también se afligieron cuando sus hijos e hijas se desviaron de la fe, y deseaban que ellos se rindieran a Cristo en lugar de hacerlo para el mundo.

Una de mis historias favoritas es la de Mónica, la madre de Agustín, quién finalmente llegó a ser uno de los grandes padres de la Iglesia cristiana. Pero tú nunca lo habrías predicho cuando él era un adolescente. A la edad de 16 años el rebelde joven vivió en unión libre, engendró un hijo ilegítimo, y finalmente se unió a una secta. Mis luchas no eran ni sombra de las de aquella madre.

Como la madre de Agustín no podía ni siquiera hablarle acerca de su fe y creencia cristianas, ella oró más fervientemente. Siendo aún adolescente, él se rebeló involucrándose con malas compañías, lo cual más tarde describió como revolcarse "en el fango, esforzándose a menudo para levantarse, pero siendo aún más fuertemente arrojado"[2]. La batalla de Agustín entre su carne y su espíritu era violenta y duró varios años. De hecho, Mónica oró por su rebelde hijo durante más de 19 años antes de que sus oraciones triunfaran.

Después de su conversión, Agustín describió el impacto de las oraciones de su madre diciendo: "Y ahora tú extiendes tu mano desde arriba y levantas mi alma sacándola de esa profunda oscuridad porque mi madre, tu fiel creyente, lloró ante ti a mi favor más de lo que las madres están acostumbradas a hacerlo por la muerte física de sus hijos".[3] Esa es la oración poderosa y persistente.

A través de estas historias de otras madres, también noté que quienes tienen un gran llamado espiritual a menudo enfrentan un gran ataque en sus vidas durante la juventud. ¿Sabes la historia de Hudson Taylor, el fundador de la

Misión para China? Aunque sus padres lo dedicaron a Dios para el trabajo misionero en China, incluso antes de su nacimiento, y lo criaron en un hogar temeroso de Dios, él pasó por problemas durante la adolescencia. Se reboló contra su padre y experimentó muchas dudas espirituales, lo cual hizo que su madre y hermana oraran constantemente por él.

Cuando Taylor tenía 17 años y una gran confusión, su madre estaba tan preocupada por su alma que se encerró en un cuarto en la casa de su hermana a 50 millas, decidida a quedarse allí en oración hasta que tuviera la clara seguridad de que Dios había escuchado y respondido sus oraciones por la conversión de Hudson. Después, esa misma tarde, cuando había intercedido tan dramáticamente por él, Taylor dijo que había leído "un tratado evangelístico sobre la obra completa de Cristo y aceptado ese Salvador y esa salvación".[4]

Muchos meses después durante una intensa oración pidiendo la guía de Dios, Taylor recibió su llamado a la China, e inmediatamente comenzó a prepararse y a estudiar para el campo misionero. Como resultado de la obra de su vida, millones de chinos escucharon el mensaje de Cristo, y toda una generación de misioneros fue inspirada.

## No Te Rindas

Animada con esta inspiración de madres que oran e hijos que son transformados, continué en mi campaña de oración por mi hijo. Después del primer año en la universidad, Justin decidió cambiarse a la universidad de Oklahoma, a una hora de casa. Tal vez él *ha* cambiado, esperé. Quizá irá con nosotros a la iglesia o se unirá al grupo de jóvenes universitarios.

Mis esperanzas desfallecieron cuando después de estar en casa sólo un par de días, comenzó a salir con una novia perversa, relación que nos llevó a uno de los veranos más difíciles que recordemos. Esta chica iba camino a la destrucción y rápidamente comenzó a arrastrarlo con ella.

Orando sola día tras días por las mismas cosas, llegué a estar cansada de batallar y sentí la necesidad de apoyo por parte de otras mujeres. Había orado en un par de grupos a través de los años, pero las presiones del trabajo habían hecho que me convirtiera en una intercesora solitaria. Entonces un par de meses después de ser ligeramente tocada por Dios, en el otoño, comencé un grupo de Madres Unidas Para Orar en la escuela de Chris y Alison.

Mientras los meses de ese año escolar pasaban, fui animada no sólo por ver cómo Dios estaba respondiendo las oraciones por nuestros adolescentes, sino por nuestro hijo mayor. Fui tocada cada semana cuando veía a las madres levantando juntas sus hijos a Dios. La carga se hizo menos abrumadora, y el problema no tan imposible de sobrellevar. Las mujeres terminaban el tiempo de oración con renovada confianza en Dios, y salían con la cabeza en alto, sintiendo menos stress y más gozo, porque sabían que sus hijos estaban en las manos de Dios.

## Prepárate para una Sorpresa

Todo ese año continué orando por Alison, Chris y Justin, éste ahora en segundo año de universidad. Aunque estaba más cerca de casa, no estaba más cerca de Dios. Como sabía que su compañero de cuarto no tenía una relación con Cristo, entonces el Señor llevó mi corazón más allá y comencé a orar por él también.

Los meses transcurrieron. Una o dos novias pasaron por su vida. Semanas de ocupadas clases y actividades llenaban su tiempo, pero no había cambio espiritual, no hasta que Justin se mudó de nuevo a casa para recorrer la ciudad en busca de un trabajo de verano.

Luego de la cena una noche, me pidió que lo llevara al otro lado de la ciudad para recoger su carro recalentado el cual estaba varado a un lado de la autopista. Como no dejo pasar la oportunidad de hablar de manera individual con mis hijos, aun como la conductora de un taxi, fui.

Durante el viaje para remolcar el carro, Justin habló de toda clase de cosas. Comenzó con sus frustraciones tratando de conseguir un trabajo de verano y su desilusión por un noviazgo que se había vuelto agrio. Luego giró hacia mí diciendo: "Sabes mamá, me he estado sintiendo terriblemente vacío y solo, por estar tan lejos de Dios y tratando de hacer todo por mí mismo. Aunque yo me mudé sé que Dios no. Pero lo que quiero, más que cualquier cosa, es tener una relación íntima con Cristo. Realmente quiero conocerlo".

Nunca miró atrás. Mientras su corazón se volvía a Dios, Él fielmente lo encontró justo donde estaba y lo llevó por una senda de crecimiento. Sólo unos pocos días después tuvo la oportunidad de asistir a un campamento de Ministerios Cúspide en Colorado, donde le ofrecieron un trabajo en la junta haciendo mantenimiento y liderando pequeños grupos de chicos bachilleres durante todo el verano. Él se desarrolló mucho en el verano, pero regresó para su tercer año en la Universidad de Oklahoma. Yo estaba preocupada porque allí él no tenía amigos cristianos o soporte para su fe.

"Convierte tu preocupación en oración", me parecía escuchar. Entonces oré todo el verano por un grupo que continuara discipulándolo y ayudándolo a crecer. Una semana después de haber regresado a la universidad, fue invitado a un retiro de liderazgo de *Young Life* (Vida Joven) donde conoció muchos otros creyentes. Encontró un estudio bíblico para hombres en el campus con universitarios y estudiantes de derecho que eran un poco más maduros espiritualmente. Ese año también tuvo la oportunidad de asistir a muchas conferencias y dinámicas cristianas. Creció a pasos gigantescos, y Dios hizo inmensurablemente más de lo que pedí o imaginé.

A medida que el corazón de nuestro hijo fue transformado, cambiaron sus prioridades, música y hábitos, como también su visión por las chicas. "No puedo imaginarme saliendo con una chica que no esté totalmente consagrada a Cristo", nos dijo una noche después de que los tres habíamos estado viendo una película (En el bachillerato nunca pudimos convencerlo de lo sabio que era salir con chicas cristianas).

El corazón de Justin se volvió hacia la familia. Preguntó cómo podía orar por nosotros. Quería pasar más tiempo con nosotros. Incluso quería pasar más tiempo con sus hermanos menores quienes estaban asombrados por su interés en ellos. Mientras daba un estudio para chicos de secundaria, sus talentos para la enseñanza y la comunicación comenzaron a surgir.

Ese año se enamoró de una linda chica cristiana llamada Tiffany, por lo cual yo me regocijé. Se casaron en mayo de 1994 y ahora sirven al Señor juntos liderando una iglesia en una casa universitaria y en el ministerio para los estudiantes de nuestra iglesia. Justin habla en servicios juveniles durante los cuales su especial compasión y entendimiento de las situaciones y tentaciones con las que un joven lucha le da una audiencia abierta.

Sin embargo, no piense que hemos "alcanzado" la espiritualidad en nuestro hogar. Tengo dos hijos de 20 y 22 años por los cuales estoy en constante oración. Y muchos días necesito ánimo para seguir y no desanimarme.

Supongo que si la madre de Agustín pudo orar por más de 19 años, yo puedo continuar un poco más.

## Poniendo Acción a Nuestras Oraciones

Si apenas estás empezando a orar por tus hijos o te encuentras desanimada por meses o incluso años de oración sin ver resultados, considera algunas de las siguientes sugerencias para dejar que Dios trabaje de una forma fresca en tus oraciones.

*Encuentra la voluntad de Dios para tus hijos.* La Biblia contiene promesas relacionadas con sus planes para ellos, la provisión que tiene disponible y lo que tiene en reserva para ellos tanto en esta vida como en la venidera. Mira a través de la Escritura para ver lo que Dios desea para los chicos y chicas, y deja que esto moldee tus oraciones. Por ejemplo:

- Cómo Él quiere que sean "*enseñados por Jehová*" y cuán grande será su *paz* (y la nuestra, Isaías 54:13).
- Cómo quiere Él que ellos guarden su Palabra en sus corazones para que no pequen contra Él (Salmo 119:11).
- Cómo Él quiere llenarlos del conocimiento de su voluntad (Colosenses 1:9).
- Cómo Él desea que no se apoyen en su propia prudencia, sino que lo reconozcan en todos sus caminos (Proverbios 3:5-6).

Si se te dificulta encontrar pasajes apropiados, pídele a Dios que te muestre un versículo para orar por el problema específico de tu hijo.

O, mira las oraciones en la Biblia. Desde la confesión de David y sus oraciones pidiendo ayuda, pasando a la oración de acción de gracias de Ana hasta las oraciones de Jesús a su Padre, estos ejemplos bíblicos pueden ser nuestros modelos. Las oraciones de Pablo por sus hijos espirituales pueden ser maravillosas guías para orar por nuestros hijos. Mira Gálatas 5:22-23; Efesios 1:17-19; 3:16-19; Colosenses 1:9-10; y 2 Timoteo 1:7.

Cuando un versículo te impacte porque describe lo que tu hijo necesita, escríbelo, pon sus iniciales al lado y coloca la fecha en tu Biblia. También puedes escribirlo en una tarjeta para recordarlo. Luego sigue orando ese versículo y espera el cumplimiento de la promesa de Dios en su tiempo.

*Expresa gratitud por la "nube de testigos" e intercesores.* Cuando medito en el giro que tuvo la vida de nuestro hijo, recuerdo que a pesar de que mis oraciones fueron vitales, Dios también oyó las oraciones de mi madre por él desde su infancia, al igual que las de su abuela Joan. Él también respondió las oraciones de Flo, mi amiga e intercesora de 80 años quien por 20 años ha "adoptado" a mis hijos y a mí en su círculo de oraciones diarias, como también las de mis amigas Cynthia, Corrie y Peggy. Esto me llena de gratitud.

¿A quién puedes agradecer por haber orado a favor de tus hijos? Escríbeles una nota hoy.

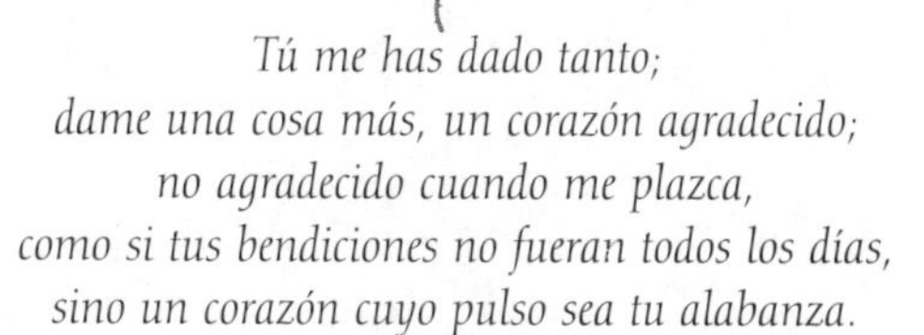

*Tú me has dado tanto;*
*dame una cosa más, un corazón agradecido;*
*no agradecido cuando me plazca,*
*como si tus bendiciones no fueran todos los días,*
*sino un corazón cuyo pulso sea tu alabanza.*

George Herbert

*No hay mejor regalo que la oración,*
*porque en ella podemos encontrar*
*a un Padre que nos recibe,*
*nos escucha y siempre entiende;*
*paz en la perspectiva de la eternidad…*
*fortaleza para agarrarnos bien y esperar que Dios trabaje,*
*refugio en su presencia,*
*un lugar seguro para guardar a aquellos a los que amamos.*

ANÓNIMO

CAPÍTULO SIETE

......

# Los Años Críticos:
## Orando por Nuestros Adolescentes

*...mas los que esperan en Jehová*
*tendrán nuevas fuerzas,*
*levantarán alas como las águilas,*
*correrán y no se cansarán,*
*caminarán y no se fatigarán*
(Isaías 40:31)

Alguien preguntó: "¿Cómo es criar a un adolescente?".

"¿Recuerdas cómo era tu hijo en sus terribles dos años? Sólo multiplícalo por ocho y agrega una licencia de conducir", respondió la sabia madre.

¡Oh, los años de la adolescencia! Alguna vez te has escuchado decir:

"¿Un chico te ha invitado a salir?"

"¿A dónde vas? ¿Con quién? ¿Hasta qué horas?"

"¿Cuánto me costará?"

"¿Eso es lo que te vas a poner?"

"¿Qué pasó con el carro?"

"¿Nunca has oído de Pedro, Pablo y María?"

Los años de la adolescencia vienen con su propia serie original de problemas. Ahora nuestros hijos conducen y pasan más tiempo con amigos, fuera de la familia. Están probando sus alas, y ocasionalmente haciendo un clavado de nariz. Se están separando de nosotros y desarrollando la independencia, un proceso natural y necesario, pero aún así doloroso.

Entonces, ¿qué tiene de especial orar por nuestros adolescentes? La madre de dos niñas adolescentes lo resumió bien: "Con los hijos pequeños, tengo pequeñas preocupaciones y oraciones. Con los adolescentes, tengo mayores problemas y oraciones más grandes".

Enfréntalo, probablemente algunas veces tú te sientes en una competencia en la cual cada bando tira del extremo de una cuerda. Estás halando a tu adolescente hacia la hora de llegar, las tareas, la familia, e ir a la iglesia. Y él está tirando hacia menos y más lejanas barreras, sus propios amigos y sus propias decisiones. La estación de ser madre requiere más, más energía, soltar más confiando en Dios más, y confiar más en la oración, porque es difícil mantener el balance correcto dentro de lo que es nuestra parte, la de nuestros hijos y la de Dios en estos delicados años.

## Ayudándolos a Encontrar su Camino

David comenzó noveno grado en una escuela grande y repleta, de la comunidad, después de haberle enseñado dos años en casa. Aunque estaba ansioso por unirse a sus compañeros de clase, su madre estaba preocupada. David sería uno entre los más de 500 estudiantes de primer año, tendría un horario lleno de clases, cada una con un profesor diferente y en un salón diferente del edificio de ese grande e irregular campus. Debido al gran deseo de encajar, David vaciló sobre comunicarle a los maestros acerca de su limitación auditiva. Cuando lo mencionó, recibió un poco de ayuda.

Debido a numerosas infecciones en el oído y a las altas fiebres cuando era un bebé, David tenía el problema de discriminar lo que oía. Como sólo podía descifrar cerca del 5 al 8 por ciento de lo que se decía en ciertos rangos de sonido, el trabajo académico era una gran lucha. A pesar de sus mejores esfuerzos y de que pasaba horas estudiando después de salir de la escuela, a mitad de año, estaba perdiendo la mayoría de sus materias.

David determinó esforzarse más, pero rehusó buscar la ayuda de su madre, Elaine, quien durante la primaria había pasado horas cada día repasándole lo que no entendía en clase. David también había cursado los primeros años del bachillerato en casa. A pesar de que estaba luchando ahora, no quería que ella lo empujara y le ayudara. La verdad era que, en la mente de David, su madre era algo así como una silla de ruedas que él había apreciado y de lo que había dependido para arreglárselas en la escuela, pero aún así, también una fuente de ira, porque esto le recordaba que no lo estaba haciendo por sí mismo.

Cuando David era más joven, Elaine podía manejar tanto sus tareas como las de él. Pero cuando llegó a ser mayor, el peso de la responsabilidad aumentó hasta dejarla exhausta y casi a punto de desmayar. Sabiamente su esposo intervino, porque se dio cuenta de que era necesario que él jugara un gran papel en la crianza de su hijo, y se encargara de los problemas de la escuela.

David continuó estudiando y trabajando duro hasta que sus reservas se agotaron, pues aun así estaba perdiendo el año. Una tarde después de otro día de lucha en la escuela, se quebrantó y dijo: "No sé por qué Dios me hizo; no puedo hacer nada".

Esto rompió el corazón de Elaine quien consciente de que sólo Dios podía ayudarla se volvió al grupo de oración de Madres Unidas Para Orar de su área.

## Confiando en el Rey

Elaine se sintió como Moisés. En una batalla con los violentos amalecitas, los israelitas bajo el mando de Josué habían prevalecido en la batalla, mientras Moisés mantenía sus brazos en alto. Pero mientras la batalla arreciaba, Moisés se cansó tanto que no podia seguir de pie con sus manos levantadas. Cuando éstas bajaban, los amalecitas eran más fuertes y victoriosos. Luego los compañeros de Moisés, Aaron y Hur se pararon uno a cada lado para sostener arriba sus manos. Mientras ellos lo hacían, Israel prevaleció de nuevo y ganó la batalla. Elaine también necesitaba que alguien la levantara en medio del cansancio de la batalla por su hijo.

Entre más oraba con el grupo, más cambiaba su perspectiva. Fue especialmente impactada por el tiempo de alabanza. "La alabanza me recordó a quién estoy hablando y qué puede hacer Él por su poder. La alabanza quitó mis ojos de mí y de mi visión mundana, y me permitió tener un reflejo del Rey".

Entre más miraba a su Rey, más se disipaban sus temores por David. Se dio cuenta de que Él había enviado su Hijo a morir por su David, que tenía un emocionante plan para él, y todo el poder y las conexiones para hacer que pasara su año de estudios. Él le recordó: "Elaine, David es mío. Debes soltármelo, así como se lo sueltas a su padre terrenal".

A medida que Elaine cambió internamente, su esposo lo notó externamente. En repuesta él comenzó a invertir horas en oración, a estudiar libros clásicos sobre la oración, a llamar a otros hombres para orar, y a desarrollar un corazón para las misiones del mundo.

David también fue impactado por el cambio en su madre mientras ella comenzó a pasarle el legado de la fe, en lugar del de temor en cuanto a su futuro. Cuando a pesar de su máximo esfuerzo perdió química, ella le dijo: "No te preocupes, Dios te ha dado todo lo que necesitas para tener una maravillosa y emocionante carrera".

David ya tenía una profunda fe en Dios, pero ahora empezaba a creer en la esperanza de ella para su futuro. Él oraba y leía la Palabra de Dios todos los días. Creyó Proverbios 22:29: *¿Has visto un hombre cuidadoso en su trabajo? Delante de los reyes estará, no delante de gente de baja condición*. David cambió todas las materias electivas de la universidad por algunos cursos en los que realmente tenía interés, como sistemas. A pesar de que seguía luchando en la escuela, su fe y esperanza crecieron.

Durante los años en la secundaria, Elaine y el grupo de madres intercedieron por los profesores de David, su elección de clases, y su habilidad para entender y pasar los cursos. Cuando tenía problemas, ellas alababan a Dios quien lo dirigía por la senda hacia algo más que Dios había escogido. Oraron por las puertas abiertas, y agradecieron a Dios por las cerradas. El año cuando se graduó de la secundaria celebraron juntas, pues las amigas de Elaine habían llegado a amar a David.

Dios abrió las puertas para un trabajo de medio tiempo y una clase de animación por computador en una universidad local. A David le pidieron que trabajara en un equipo especial para producir un catálogo de la universidad en CD-ROM para futuros estudiantes. El proyecto ganó un premio. Al siguiente año, la universidad le pidió a David que liderara el proyecto del CD-ROM y dictara dos seminarios universitarios sobre animación por computador. Los profesores comenzaron a enviarle estudiantes para tutorías.

Ese año, varios ministerios mayores lo llamaron para discutir las posibilidades de producir CD-ROM. Luego llegó la más increíble de todas las llamadas. Después de ver el catálogo de la universidad en CD-ROM, diseñado por David, una prestigiosa universidad cristiana le ofreció una beca completa, con vivienda, comida y enseñanza si viajaba y producía uno para ellos.

Elaine no podía esperar hasta la siguiente reunión de oración. Fue un tiempo de lágrimas, adoración y gozo genuino. Con el apoyo de sus propios "Aarones" y "Hurs", y con las respuestas de Dios a sus oraciones, había ayudado a lanzar a David para que fuera "un hombre 'cuidadoso' en su trabajo", ¡sirviendo al Rey de reyes!

## Fatiga en la Sala de Espera

La resolución de los problemas de David no ocurrió de un día para otro. Tomó seis años de espera y oración, como sucede con mucho del trabajo de Dios en nuestra vida y en la de nuestros hijos.

Pero esperar no es una virtud moderna. Preferimos la comida rápida, líneas rápidas, marcador rápido, avance rápido, arreglos rápidos y papas instantáneas (bueno, tal vez no). Esperar va en contra de la corriente moderna. Y es una de las frustraciones sobresalientes de la estación de educar y orar por los adolescentes.

"Orar por un adolescente requiere de mucha paciencia". Confesó Brenda. "Esperar en el Señor para que dirija a mi hijo a través de este tiempo es mi más grande reto".

"¡Mi mayor frustración es orar para que mi adolescente tenga madurez espiritual y preguntarme si viviré para verlo!", dice Jean.

"Durante esta época estoy impaciente esperando que Dios responda", dice otra madre. "Creo que es porque mi hijo adolescente va muy rápido". Ella está justo en lo correcto. Algunas veces parece que nuestros hijos están co-

rriendo a toda velocidad mientras Dios lo hace en cámara lenta.

Dios debió haber sabido que esto era un reto porque a través de la Biblia Él anima a su gente a esperar, asegurándole los beneficios:

- *¡Espera en Jehová! ¡Esfuérzate y aliéntese tu corazón! ¡Sí, espera en Jehová!* (Salmo 27:14).
- *Espera en Jehová, guarda su camino, y él te exaltará para heredar la tierra; cuando sean destruidos los pecadores, lo verás* (Salmo 37:34).
- *Bueno es Jehová a los que en él esperan, al alma que lo busca* (Lamentaciones 3:25).

Pero mi promesa favorita está en Isaías 40:31: *...mas los que esperan en Jehová tendrán nuevas fuerzas, levantarán alas como las águilas, correrán y no se cansarán, caminarán y no se fatigarán.*

El cumplimiento por parte de Dios de sus promesas para la vida de nuestros hijos puede depender de nuestra paciente espera en Él en lugar de rendirnos y quejarnos. Entonces, ¿cómo podemos esperar con paciencia y esperanza?

Primero, nos ayuda saber que esperar no es vano. "Esperar parece ser una oración actuada", dice Catherine Marshall. Esperar desarrolla "paciencia, persistencia, confianza, esperanza, todas las cualidades que continuamente estamos pidiendo que Dios nos dé".[1] Durante nuestras épocas de espera, dice ella, "estamos aprendiendo el gran secreto de perseverar, lo cual es la llave para abrir todos los tesoros celestiales".[2]

Marshall explica: "Dios da la respuesta de manera paulatina a cada oración. Ésta fluye para que sólo Él sepa la magnitud de los cambios que deben producirse en nosotras antes de que podamos recibir los deseos de nuestro corazón. Sólo Él conoce los cambios y la influencia recíproca de los eventos externos que deben llevarse a cabo antes de que nuestra oración pueda ser contestada. Por eso Jesús nos dijo: *No os toca a vosotros saber los tiempos o las ocasiones...*'[3] (Hechos 1:7).

Hay dos verdades que particularmente me ayudan cuando siento fatiga en el proceso de espera. La primera es reenfocarnos en el carácter de Dios.

## Conoce el Carácter de Dios

La Biblia muestra cómo Dios trata con su gente, especialmente a personas como Noé, Moisés, Abraham, José, David, Daniel y Ana, quienes tuvieron que esperar. ¿Cuántos días de lluvia tuvo que anotar Noé antes de que viera un arco iris? ¿Cuántos pasos polvorientos tuvo que dar Moisés antes de ver la tierra prometida? ¿Cuántas estrellas tuvo que contar Abraham antes de tener en brazos a su hijo prometido? Sus vidas testifican de la fidelidad de Dios.

El "Hall de la Fe", Hebreos 11, está conformado por gente que hizo cosas asombrosas; ellos *hicieron justicia, alcanzaron promesas, taparon bocas de leones, apagaron fuegos impetuosos, evitaron filo de espada, sacaron fuerzas de debilidad, se hicieron fuertes en batallas... Hubo mujeres que recobraron vivos a sus muertos* (11:33-35). Aún así *ninguno de ellos, aunque alcanzaron buen testimonio mediante la fe, recibió lo prometido, porque Dios tenía reservado algo mejor para nosotros* (11:39-40). Dios trabaja en la vida de aquellos que confían en Él y esperan que Él actúe.

Cuando me canso de esperar que Dios se mueva en la vida de mis hijos, no sólo estudio cómo se ha movido en otras vidas, sino que también miro de nuevo la propia naturaleza de Dios al meditar en sus nombres.

Él es Jehová-jireh, Señor, el proveedor;[4] así como proveyó ayer, proveerá en el futuro. Y Él proveerá lo que nuestros adolescentes necesitan para acercarse a Él.

Él es Jehová-rapha, Señor, el Sanador;[5] quien se especializa en sanar relaciones. Él puede sanar nuestro corazón roto y renovar nuestro espíritu cansado.

Dios es Jehová-nissi, Señor, el estandarte,[6] el cual en su amor está sobre nosotras y nuestros adolescentes. Imagínate ese estandarte escrito a través de tu familia y tus hijos, donde quiera estén.

Él también es Emanuel, Dios con nosotros, no a la distancia, sino susurrando a nuestro oído y dándonos la sabiduría que necesitamos. Y Él está constantemente trabajando en la vida de nuestros hijos, aun cuando no podamos verlo.

Él es Jehová-shammah, el Señor está aquí.[7] No hay lugar a donde puedan ir nuestros hijos para escapar de su presencia. Como el salmo 139: 5 dice: *Detrás y delante me rodeaste, y sobre mí pusiste tu mano.*

Mientras reflexionamos en la fidelidad y el poder de Dios, a medida que nuestras raíces profundizan en su amor, una confianza duradera llenará nuestro corazón y, durante nuestro tiempo de espera, la inquietud será reemplazada por la esperanza.

## ¿Cómo Debo Orar por mi Adolescente?

Una frustración que muchas madres han expresado es el hecho de no saber cómo orar por sus adolescentes. "A veces no conozco las necesidades específicas de mis hijos porque de los 13 a los 16 años, tienden a guardar sus pensamientos en privado", dice Joyce. Una madre me contó que su hijo no confía en ella porque piensa que todas las madres son chismosas con sus amigas. A él especialmente no le gusta que ella le arranque secretos o lo interrogue.

Sin embargo, esto no se limita a niños adolescentes. Karen dice: "Tengo una hija de 15 años. Sus necesidades son tan diferentes de cuando era pequeña, pero a menudo cierra la puerta de su habitación y me rechaza. Entonces tengo problemas para saber qué es lo más importante a fin de orar por ella".

Además de sentir que no se nos han dado pistas acerca de los aspectos particulares de la vida de los adolescentes, el temor también puede estorbar nuestras oraciones. "A veces el temor de que mis hijos estén involucrados en algo que tendrá un efecto permanente en sus vidas, me frena totalmente en mis rieles. ¡Era más fácil controlarlos cuando eran pequeños!" (El tema del control otra vez). Algunas veces aun orar por, o hablar de las preocupaciones por nuestros adolescentes, las hace demasiado reales, y entonces evadimos llevar nuestros temores al único que puede aliviarlos.

## Oraciones por Disciplina

Aun siendo tan duro como lo es, creo que una oración que debemos hacer por nuestros hijos es que sean atrapados cuando son culpables. Aun si no empezaste a hacer esta oración en los primeros años, nunca es tarde. En los Salmos, David dijo que la corrección y la disciplina de Dios eran lo mejor que le podía haber sucedido porque le enseñaron a poner atención a las leyes de Dios (Salmo 119:71). Es aterrorizante pedirle a Dios que traiga a la luz cualquier cosa oscura que haya en nuestra vida, pero las madres de adolescentes lo han encontrado como una forma efectiva de orar. Y es una oración que Dios parece responder rápidamente. En lugar de ser negativas las respuestas a estas oraciones, pueden conducirnos, a nosotras y a nuestros hijos, a un sentido de la realidad y el cuidado personal de Dios.

Cuando Mateo estaba en octavo grado, pasó por la pubertad con una actitud de venganza. "Nuestro pequeño niño desapareció siendo reemplazado por un enfurecido adolescente", dice su madre Kathy. Como estudiante siempre había recibido honores, pero de repente sus calificaciones se hundieron. Había comenzado a andar con un grupo malo, y las relaciones con sus padres se deterioraron, de tal modo que sintieron que lo habían perdido.

Kathy comenzó a orar para que él fuera atrapado siempre que fuera culpable, y qué cosa tan extraña, sucedió. No podía librarse de nada. Cuando salió del campus sin permiso, los oficiales de la escuela lo descubrieron y lo detuvieron. Luego fue atrapado tratando de comprar mariguana. Una noche se escapó y fue detenido por la policía. Durante los siguientes años, Kathy siguió orando por su hijo quién siguió siendo atrapado, y rechazando los esfuerzos que se hacían para ayudarlo.

"Muchas veces quise darme por vencida y lloraba preguntándole a Dios por qué. Le dije: "Dios, cometiste un gran error, yo debí haber tenido un dulce niño cristiano. ¿Nos diste el hijo equivocado?".

Después de mucha oración, y un incentivo económico, Mateo estuvo de acuerdo en asistir a una clase de seis semanas para padres y adolescentes llamada: "Alcanzando el Corazón de su Adolescente". Lentamente comenzó a ver cuánto deseaban sus padres tener una buena relación con él. Aunque en clase actuó como si no tuviera interés, estaba escuchando, y ésta se convirtió en un punto de regreso, ya que la actitud de Mateo hacia su familia mejoró. Por iniciativa propia decidió asistir al grupo juvenil de la iglesia y pasar tiempo con amigos diferentes. Un Domingo mientras la familia regresaba de la iglesia a casa, dijo: "Me parece que los hombres que leen la Biblia son más sabios que los que no lo hacen, comenzaré a leer mi Biblia de nuevo".

La situación aún es tormentosa a veces, pero Dios está trabajando tanto en Mateo como en sus padres. Kathy se da cuenta de que ella ha crecido más por Mateo que por cualquier otra persona en su vida. "Por él he aprendido que la enseñanza y un amor incondicional lo son todo. Es fácil amar a mi hijo dulce que siempre obedece y me abraza; ¡es necesaria la gracia de Dios para amar a mi hijo hostil de 15 años!"

## Oraciones por Protección

Una segunda y casi instintiva oración que podemos hacer por nuestros adolescentes es por protección. No siempre estaremos con ellos en momentos cruciales cuando viajan fuera de la ciudad a partidos de fútbol, cuando van a una cita o cuando asisten a fiestas. Pero Dios está allí. Para una madre es tan natural como respirar, el orar por la protección de su hijo desde el momento cuando toma las llaves del carro y va hacia la autopista.

También podemos orar por la protección de su pureza. Libbi siempre le ha pedido a Dios que sus hijos sean atrapados cuando han hecho algo malo, y también ora diligentemente para que Dios proteja la pureza de su hija. Cuando la familia se mudó a Michigan, su hija de 16 años, se reveló contra Dios porque tenía que dejar a sus amigos y al grupo de jóvenes de la iglesia.

Sin embargo, pronto hizo amigos y comenzó a tener citas de nuevo. Pero siempre que salía con chicos, fueran cristianos o no, ellos parecían estar temerosos de tocarla. Era como si tuviera una barrera alrededor. Ella podía ver cómo reaccionaban y sabía el porqué. ¡Eran todas esas oraciones que su madre hacía por su pureza! Sentir la protección de Dios le ministró y la guardó de meterse en problemas en su nueva escuela.

De hecho, los dos hijos de Libbi saben que la cosas malas que hagan saldrán a la luz, lo cual les causa risa. Ellos dicen cándidamente: "Si vas a ser mi amigo, permíteme contarte sobre mi madre y ¡cómo ora! Como han entendido que Dios, en su amor, los detiene en su pecado antes de que éste tome el control, se sienten protegidos y cuidados, y lo comparten con sus amigos.

Con los adolescentes no hay soluciones instantáneas. Y sin duda tendremos días en que cuestionaremos si Dios está trabajando en sus vidas e incluso en las nuestras. Pero podemos confiar en nuestro Padre celestial, de quien su misma naturaleza nos garantiza que sus promesas son verdad. Y ha prometido que quienes esperan en Él de hecho tendrán nuevas fuerzas, y levantarán sus alas como las águilas.

## Poniendo Acción a Nuestras Oraciones

¿Cómo podemos orar por la protección de Dios para nuestros adolescentes? A continuación algunas ideas:

*Ora para que los pecados sean revelados.* Sé valiente y di: "Señor, pido que saques a mi hijo (o hija) del mal, de acuerdo con tu Palabra. Oro para que sea atrapado cuando se encuentre culpable, para que su pecado e impiedad puedan salir a la luz de tu presencia, y así tus caminos sean para él mejores que millares de oro y plata, o las riquezas del mundo" (Salmo 119:71-72).

*Ora por amigos piadosos.* Pídele a Dios que abra los ojos de tu hijo para ver los amigos que Él ha provisto (Salmo 1; Proverbios 10:11). Ora por pureza y que ellos sean guardados para la pareja correcta (2 Corintios 6:14-17). Si tu hijo está pasando tiempo con un grupo equivocado, puedes orar por esos amigos para que también sean traídos a la luz.

*Incuba tus oraciones.* Muchas de las esperanzas y sueños que tenemos para nuestros adolescentes necesitan ser "incubadas", como un huevo es calentado por la mamá gallina. Esta aproximación de la mamá gallina, a la oración, puede ayudarnos en la tediosa espera cuando nada está saliendo del cascarón.

Escribe tus más profundos anhelos para tus adolescentes, y anota los versículos, si los hay, que reflejan tus peticiones a Dios a favor de ellos. Luego corta tu petición de oración en forma de huevo "para ayudarte a dramatizar el reconocimiento de que las respuestas visibles pueden venir lentamente",[8] y ponla en tu Biblia. Luego entrégale a Dios la petición para que la responda en su tiempo, sin tu manipulación o lucha. Cada vez que encuentres el huevo, da gracias a Dios por todo lo que va a hacer en la vida de tu hijo.

Un día mi hija Alison y yo estabamos hablando sobre el tipo de joven cristiano con el que esperaba casarse. Sin pensar comencé a escribir sus sueños sobre el "esposo ideal". Después de nuestra conversación, ambas encomendamos los deseos de su corazón en oración. Luego puse la lista en mi Biblia cerca a mi salmo favorito. Cada vez que encuentro su petición de oración, la elevo de nuevo a Dios y le pido que provea justo el hombre y la relación matrimonial que Él ha planeado.

*Marca el teléfono JE-333.* Mi amiga Dorothy es una madre de cuatro hijos y abuela de 11. Cuando sus 11 nietos recibieron licencia de conducir, Corrie ten Boom le dijo que marcara JE-333, el número telefónico privado del Señor, *a menudo.* Está disponible 24 horas al día. Él dice: *Clama a mí y yo te responderé, y te enseñaré cosas grandes y ocultas que tú no conoces* (Jeremías 33:3).

*Señor, gracias por los preciosos adolescentes que*
*me has confiado para cuidar.*
*Concédeme tu amor incondicional para ellos,*
*y gracia para interceder fielmente por ellos.*
*Señor, mientras espero que respondas todas las peticiones*
*que he orado en su favor, concédeme la paciencia,*
*y una firme permanencia en ti. Permíteme esperar*
*en tu fidelidad,*
*y encontrar un lugar de descanso hasta que el*
*cumplimiento llegue.*

*En el nombre de Jesús. Amén.*

*Los grandes avivamientos siempre comienzan en el corazón*
*de unos pocos hombres y mujeres a quienes*
*Dios levanta por su Espíritu*
*para que crean en Él como un Dios viviente.*
*Ellos creen que es un Dios que responde oraciones.*
*Él pone una carga sobre sus corazones*
*para la cual no se encuentra descanso,*
*excepto en el persistente clamor a Él.*

R. A. Torrey

CAPÍTULO OCHO

......

# Un Gran Avivamiento Espiritual...
## Liderado por Jóvenes

*Orad en todo tiempo con toda oración y súplica*
*en el Espíritu,*
*y velad en ello con toda perseverancia y súplica*
*por todos los santos y por mí,*
*a fin de que al abrir mi boca me sea dada palabra*
*para dar a conocer con denuedo el misterio del evangelio,*
*por el cual soy embajador en cadenas,*
*y con denuedo hable de él como debo hablar*
(Efesios 6:18-20)

Temprano en las horas de la mañana, antes de que las campanas de la escuela suenen, regularmente dos madres hacen caminatas de oración alrededor de la escuela extranjera de Seul, ubicada en lo alto de una montaña en medio de una bulliciosa metrópoli. Oran por la salvación de cada profesor y estudiante que no conoce a Cristo, y para que cada persona que lo conoce se acerque más a Él. Piden a Dios que su Espíritu Santo se manifieste sobre el campus. Oran porque tienen el ardiente deseo de ver un avivamiento en su escuela, su nación y alrededor del mundo.

¿Qué están orando cuando piden un "avivamiento?" Tal vez hayas estado en un "servicio de avivamiento", pero ¿has visto o experimentado el fuego arrollador pasando por tu familia o iglesia? El diccionario nos dice que *avivamiento* significa pasar de un estado deprimido, inactivo, desinteresado a otro próspero, activo y consciente de vida.[1] Realmente ese significado no está lejos de *avivamiento* en un sentido espiritual. "El avivamiento es un acto soberano de Dios", dice el Dr. Bill Bright, "una visita divina..., un tiempo de humillación personal, perdón y restauración en el Espíritu Santo", y un tiempo cuando éste es poderoso y activo en la vida de los individuos, las iglesias y la comunidad en general.[2]

Un tiempo de avivamiento espiritual está acompañado por una cosecha de nuevos creyentes, donde muchas personas que han estado muertas o inactivas espiritualmente, se vuelven a Dios y experimentan la nueva vida en Cristo. Dondequiera ha brotado un verdadero avivamiento, ya sea el de Welsh en los primeros años de 1900, o el Gran Despertar, no sólo hace que cientos y algunas veces miles de personas reciban a Cristo, sino que los cristianos sean renovados en su entusiasmo y amor por Dios.

Aunque el avivamiento se inicia en el corazón de Dios, los intercesores preparan el camino a través de la oración. El poderoso avivamiento de Ireland en el siglo XVI y el provocado por la predicación de Jonathan Edwards en el siglo XVIII comenzaron en oración. El fuego del avivamiento encendido por los ministerios de John Wesley, Charles Finney y D. L. Moody se originaron en oración.[3] Cada avivamiento de la historia fue precedido por la oración, un intenso clamor a Dios para que el Espíritu reavivara a su pueblo.

Andrew Murray nos dice que Dios produce el avivamiento en respuesta directa a la oración. "Aquellos que saben algo de la historia de los avivamientos recordarán qué tan a menudo ha sido esto probado, tanto el avivamiento más grande como el más regional han sido claramente trazados por una oración especial. En nuestro tiempo hay numerosas congregaciones y misiones donde avivamientos especiales o permanentes están (toda la gloria para Dios) conectados con la oración sistemática y de fe. El avivamiento por venir no será la excepción. Un extraordinario ánimo para orar, estimulando a los creyentes a un clamor más secreto y en unidad, presionándolos a 'actuar fervientemente' en sus súplicas, será una de las señales más seguras de las lluvias y los desbordamientos de bendiciones que se aproximan".[4]

Él indica que un aumento en la oración es la señal más segura de que se acerca un avivamiento, mientras el pueblo de Dios ore lo que su Espíritu le revele y prepare el camino mediante la intercesión. Eso es lo más emocionante acerca de la actual fuente de interés en la oración, los miles de grupos de oración que se están formando en nuestro país y alrededor del mundo, el renovado interés en el ayuno, y el interés de niños y adolescentes en la oración.

## Una Generación en Riesgo

¿Por qué toda esta charla sobre el avivamiento? ¿Qué tiene que ver esto con las madres?

Probablemente algunos cuestionarán la necesidad de un avivamiento en América. Todo lo que tenemos que hacer es mirar lo que está pasando con la gente joven de los Estados Unidos para ver sus desesperadas necesidades espirituales. Homicidios, y suicidios son las principales causas de muerte entre los adolescentes (con un aumento del suicidio del 300 por ciento desde 1950). La edad de aquellos que cometen asesinatos es menor cada año.

El embarazo en adolescentes ha aumentado más del 621 por ciento desde 1940, lo cual significa que más de un millón de adolescentes al año quedan embarazadas. De las 2.800 adolescentes que quedan embarazadas cada día, 1.100 abortan.

La edad promedio para el uso de drogas por primera vez es de 13 años, edad que va descendiendo.[5] El número de adolescentes que usa mariguana se duplicó a comienzos de los años 90.[6]

También hay una epidemia de depresión en la gente joven. Hace dos décadas la edad promedio para el comienzo de episodios depresivos era de 29 años; ahora la edad promedio para una depresión seria es de 14 a 15 años.

Un estudio reciente demostró que un tercio de todos los adolescentes en edades entre los 15 y los 19 años ha robado de una tienda, y dos tercios han hecho trampa regularmente en los exámenes. Hace muchos años una comisión de líderes de las áreas del comercio, la educación y la política, al examinar los problemas de los niños y jóvenes de los Estado Unidos, emitió un reporte llamado "Código Azul" para enfatizar el carácter mortal de la crisis. Sus descubrimientos demostraron que la causa básica del su sufrimiento no era la pobreza o la enfermedad, sino un comportamiento autodestructivo.[7]

Cuando fui a la escuela, en los años 50 y 60, y comencé a enseñar a finales de los 70, nuestros problemas variaban entre la goma de mascar, pasar las notas, y lanzar escupitajos. Ahora los problemas en cualquier escuela de nuestro país varían entre el abuso físico y verbal a los profesores, asalto, violación y drogas.

El doctor James Dobson llamó a esta generación de niños y jóvenes "una generación en riesgo". Josh McDowell dijo que nosotros perderíamos esta generación, o ella sería la fuente para el avivamiento espiritual más grande que América haya visto. Y eso es justamente lo que ellos necesitan: un avivamiento espiritual. Yo creo que no será suficiente un goteo, sino un diluvio espiritual, una "ruptura" para revertir la decadencia moral. Lo que se necesita no es un ajuste menor, sino un cambio radical en el corazón de la gente joven.

Los adultos de los Estados Unidos también necesitan un despertar. "De seguro la nación necesita una manifestación de nuestro gran Dios. ¡Necesitamos otro pentecostés! Muchos líderes cristianos a través del país están advirtiendo que a menos que Norteamérica se vuelva de sus caminos inicuos, será autodestruida... una oleada de maldad ya atraviesa libremente nuestra tierra", dice Bright.[8]

Y yo creo que Dios también quiere un avivamiento. Para aquellos intercesores que mantienen su oído atento al Espíritu de Dios y buscan ser usados por Él, las palabras siguen llegando: Dios se va a mover por medio de los niños y los jóvenes.

Es por eso que el aumento de grupos de madres comprometidas y enfocadas en orar por niños y adolescentes en sus escuelas es tan estimulante. Miles de esas madres están levantando sus manos a Dios y derramando sus corazones como agua delante de Él a favor de sus hijos.[9] Ellas están poniendo los rieles para que el poder y la presencia de Dios se manifiesten. ¿Qué está pasando mientras las madres oran por un avivamiento? Veamos primero una escuela de secundaria donde el Espíritu de Dios está obrando en respuesta a las oraciones.

## Un Avivamiento Liderado por Jóvenes

La escuela secundaria Beech en Hendersonville, Tennessee, tiene una presencia celestial sobre el campus, según lo describe un profesor sustituto. "Hay calidez y compasión en los estudiantes. En otras escuelas yo siento como si estuviera caminando en un cementerio. Aquí es como caminar en la presencia de Dios".[10]

Por más de tres años, los estudiantes han elevado diariamente intensas oraciones. Cuando llegas a Beech, ya sea en la mañana, durante el descanso o en el tiempo de almuerzo, ves círculos de 10 o 20, incluso de 60 adolescentes orando juntos, intercediendo por sus compañeros de clase, por la obra de Dios en sus propias vidas, y por su comunidad. Los alumnos también oran silenciosamente en los pasillos en el intermedio de las clases. Ellos no están orando alrededor del mástil de la bandera un día en especial del año, sino ¡todos los días!

En el salón de la banda, en una escuela pública, antes de comenzar clases los lunes y viernes, más de 200 adolescentes levantan sus manos y voces para alabar a Dios. Los martes y jueves, el salón se llena de jóvenes estudiando la Biblia. No hay profesores liderando, sólo estudiantes. Los miércoles más de 200 chicos llegan al salón del coro para la reunión de compañerismo de atletas cristianos.

Este avivamiento liderado por jóvenes nació en una escuela de secundaria y se esparció a las otras escuelas en Hendersonville. La semana que hablé con Lee Brown, la líder del grupo de Madres Unidas Para Orar de la secundaria, y cinco madres más, estaban ayunando y orando intensamente para que Dios hiciera *más*, para que su Espíritu obrara más y trajera más jóvenes a Cristo. Estaban intercediendo seriamente por más avivamiento para esta comunidad.

Hace 4 años tres madres comenzaron a interceder por la escuela secundaria Beech. Ellas no sólo oraron por bendiciones para sus hijos y sus amigos, pues Dios había puesto una visión unánime en sus corazones para que oraran por el avivamiento de todo la escuela.

Desde el comienzo el grupo de Madres Unidas Para Orar oró para que se levantara un estandarte de rectitud en la escuela. Cuando oraron para que el pecado fuera expuesto, se abrió la caja de Pandora. Abuso de drogas, actividad de pandillas, problemas de alcohol y copia; todo lo oscuro comenzó a salir a la luz. El rector trajo perros antidrogas. Llegó a ser la única escuela en el país con un reglamento sobre la forma de vestir. La escuela trajo radios de comunicación para los padres que paseaban el campus a fin de aumentar la seguridad y prevenir problemas, lo cual les daba otra oportunidad de orar en silencio por los estudiantes y profesores mientras caminaban por los pasillos y patios.

"Oramos por nuestros chicos cada día en nuestros devocionales, pero también oramos por los perdidos. Queremos que esta escuela sea tomada por Cristo. Sentimos que es una llave para la comunidad, y posiblemente para la nación. Cuando llegue el avivamiento, queremos esparcirlo a secundarias en otras ciudades", dice Lee.

Un año las madres hicieron una caminata semanal de oración alrededor del perímetro de la escuela durante siete semanas. Cuatro años antes habían sido guiadas a orar específicamente porque Dios removiera a cualquier profesor que estuviera involucrado en lo oculto o tuviera malas influencias. Aquel verano sin que nadie se quejara en la oficina del rector, salieron 20 profesores. Al siguiente año salieron 14.

Hace tres años, pastores de jóvenes de más de seis denominaciones en Hendersonville comenzaron a apoyar el avivamiento e iniciaron reuniones para jóvenes de la ciudad que incluían todas las denominaciones y razas. Ese avivamiento comenzó a esparcirse a otros chicos en la ciudad.

El avivamiento ha afectado a mucha gente, incluyendo a la rectora de la secundaria Beech, Mary Clouse, quien dice: "Soy más accesible, calmada y estoy menos estresada". Por primera vez en su vida ella ha comenzado a estudiar la Biblia y está profundamente animada por el cambio de actitud en todo la escuela.

Mientras Dios se mueve en la secundaria de Beech, muchos adolescentes se han comprometido con Cristo. Muchos se han liberado del alcohol y el abuso de drogas. Y la gente joven, madres, pastores de jóvenes e iglesias continúan orando. "Estamos esperando y orando por algo que nunca ha sido visto en la faz de la tierra; ni siquiera sabemos cómo será. Estos son sólo los comienzos de un avivamiento, pero estamos emocionados", dice Lee.

Escuelas de secundaria en otras áreas también están viendo señales de renuevo y avivamiento. En la escuela secundaria Poway al sur de California, las madres han estado orando durante 13 años por un avivamiento. Ellas piden que el Espíritu Santo les ayude a recordar orar por avivamiento cada vez que recojan a sus hijos en la escuela, vayan a algún evento escolar, o pasen por la escuela. También están pidiendo a Dios que abra las ventanas del cielo en la escuela.

Y la ventana se está abriendo. En el último año, muchos jóvenes han creído en Cristo. En el día de "nos vemos en el mástil" más de 200 adolescentes se reunieron a orar, alabar y adorar en su escuela. Más chicos que nunca están yendo a retiros de fin de semana con Juventud para Cristo y Aventura Estudiantil. Los adolescentes cristianos son más osados en su fe y están orando por sus amigos. Incluso algunas personas en la administración de la escuela están viendo la necesidad de crecimiento espiritual en los estudiantes.

"El avivamiento comienza en nuestros corazones, nuestros hogares y en nuestros escuelas. Estamos viendo pequeños focos de avivamiento y pidiéndole más a Dios", dice Fern Nichols, quien lidera el grupo.

En la escuela secundaria de Tulsa en el área de Oklahoma, muchas personas están combinando sus esfuerzos de oración; pastores de jóvenes, madres, estudiantes, y ministerios como *Young Life* (Vida Joven) y *Fellowship of Christian Athletes (FCA)* (Compañerismo de Atletas Cristianos). Este año Dios comenzó a moverse en las reuniones de *FCA*.

"Todo comenzó con nuestros oficiales estudiando el libro *Mi Experiencia con Dios*", dice Kari. "Este año comenzamos las reuniones de *FCA* con alabanza y adoración pidiendo que el Espíritu Santo obrara".

Una noche fueron impactados por Isaías 57:15 donde dice que Dios, quien habita en la eternidad, altura y santidad, habita también en aquellos con espíritu quebrantado y humilde. Entonces ellos oraron: "Señor, quebrántanos por nuestra escuela; no permitas que seamos insensibles hacia nadie". Estos adolescentes están dispuestos a ser quebrantados por aquellos que necesitan el amor y la luz de Cristo, y oran regularmente por sus compañeros perdidos.

Coincidencialmente, el grupo de Madres Unidas Para Orar de la escuela secundaria de Jenks ha estado orando durante 2 años cada semana por un avivamiento. Ellas oraron para que muchos adolescentes vieran la senda de destrucción en la que estaban, para que se descubriera la maldad, y para que los estudiantes y profesores cristianos fueran más firmes en su testimonio y tuvieran una mayor carga por los estudiantes perdidos.

No sólo han comenzado a ver una cosecha de jóvenes que le confían su vida al Señor cada semana en lo que solía ser una buena reunión social, sino que están enviando nuevos chicos a las reuniones de *FCA*. En una reunión, 35 hombres y mujeres jóvenes pasaron adelante para recibir a Cristo, y más de 60 pasaron a reconciliarse con Él.

## ¿Qué de Nuestras Comunidades?

Lo que está sucediendo en las secundarias de Beech, Poway y Jenks no puede hacer más que animarnos e inspirarnos. Quizá también te hace pensar qué se necesitaría para tener un impacto similar en la juventud y las escuelas secundarias de tu área.

"Se necesita la oración masiva que le prepare el camino al Señor, para un avivamiento en toda la nación", dice Wesley Duewel. "Pero tú y algunas personas pueden prevalecer para un avivamiento y ver la obra de Dios con poder en una vida específica, una familia, una iglesia o tal vez aun en toda una comunidad. Es bueno anhelar un avivamiento nacional. Pero entre más enfocada esté tu oración por avivamiento en una situación específica, probablemente verás muy pronto, la respuesta a tus oraciones. Ora por ambas cosas".[11]

Siguiendo el consejo de Duewel, podemos aprender de quienes están orando por un avivamiento en sus comunidades, y hacer lo mismo.

"Deja de sentarte en la banca a escuchar solamente", aconseja Lee Brown a las madres que quieren ver renovación. "Consigue otra persona con la que puedas acordar orar y ¡comiencen a hacerlo!" Podemos hablar de la oración y decir que creemos que Dios es poderoso, y tener mucho conocimiento acerca de la importancia de la oración, pero lo que necesitamos hacer es *orar*.

"Si quieres ver a tu hijo recibir a Cristo, tu escuela y tu comunidad cambiados, persiste en la oración", añade. "La oración es una de nuestras mayores armas de guerra porque el enemigo viene a toda máquina contra nuestros hijos y escuelas. Tenemos que usar el arma que Dios nos ha dado".

Al igual que las madres de California, mientras pasamos por la escuela y asistimos a eventos deportivos o musicales, podemos orar para que el Espíritu de Dios bendiga a los profesores, alumnos y administradores. Piensa en grande y sueña en lugar de limitar a Dios; ora por un poderoso avivamiento.

Y cuando veamos a Dios trabajando, ¡no deberíamos parar de orar! A veces cuando las cosas comienzan a cambiar, nos relajamos y permitimos que los momentos de oración intensa se disipen. Pero a menudo ahí es cuando se necesita interceder. Debemos permanecer constantes y persistir en oración.

"Hemos encontrando que cuando Dios se ha movido grandemente en la secundaria, un orgullo espiritual puede venir a los chicos cristianos, y la apatía y la complacencia entrar sigilosamente. Cuando un estandarte de rectitud es levantado, Satanás viene como una inundación", dice Lee. Ellas están viendo indicios de actividad de pandillas, y un aumento en la actividad ocultista en chicos que se autodenominan satanistas o flores de Wicca. Entonces, es importante orar continuamente con autoridad espiritual sobre el enemigo y estudiar guerra espiritual (Para aprender más, mira los libros que recomendamos al final de este).

## Una Perspectiva Personal

Yo también he visto que la oración pone los rieles para renovación espiritual, justo delante de mí. Un verano después de haber visto el poder de la oración en nuestro hijo Justin, me uní a un grupo de mujeres que se reunía una vez por semana para orar.

"Si vienes a orar planea quedarte a almorzar", dijo Jan, la líder. "Comenzamos a las 9 de la mañana y generalmente oramos hasta la una o las dos, dependiendo de cómo nos guíe el Señor. Luego comemos emparedados".

"Seguro", pensé, "ellas no pueden orar tanto tiempo. En un descanso antes del almuerzo, tal vez podré trabajar un poco". Debido a que en ese tiempo yo trabajaba de tiempo completo como escritora, y tenía que entregar un artículo para una revista, entré cargando mi maletín rojo.

El grupo todavía se ríe del maletín que llevaba cuando fui a mis primeras dos reuniones, hasta que me relajé y me uní en la segunda, tercera y cuarta horas de oración. Jan, Kathleen, Kathy, Rose y Kay habían estado orando juntas por años, yo era la rama injertada más nueva. Después de estudiar una hora dos libros sobre la oración de intercesión, teníamos un tiempo de alabanza y adoración en la presencia de Dios, que a menudo producía quebrantamiento y confesión.

Sin una agenda específica, simplemente nos disponíamos ante Dios y le pedíamos que nos guiara a interceder por lo que estuviera en su corazón. Entre otras cosas, nos enseñó más acerca de estar en silencio esperando a que Él hablara, y acerca de comprometernos en la guerra espiritual.

También compartimos con Él lo que estaba en nuestros corazones y echamos sobre Él nuestras ansiedades. Como madres generalmente teníamos preocupaciones por nuestros hijos de secundaria y universidad. Entonces semana tras semana éramos guiadas a orar por ellos.

## Ensanchando Nuestros Corazones

Pero cuando Dios nos llevó en otra dirección, Él ensanchó nuestro corazón para orar no sólo por las necesidades de nuestros hijos, sino por la gente joven de Oklahoma City y finalmente por toda la, a menudo llamada, Generación X. Entre más orábamos, más amplia se volvía nuestra visión hasta el punto de que a veces orábamos por la juventud de otras naciones. Semana tras semana clamamos por avivamiento y renovación en nuestras vidas y en los Estados Unidos. A menudo mientras intercedíamos por gente joven, llorábamos por los adolescentes pródigos para que regresaran a Dios. Muchos de esta generación joven estaban al borde de la destrucción, y definitivamente parecían estar en el corazón de Dios.

Al mismo tiempo en nuestra ciudad, un viernes de cada mes, se realizó una Noche de Alabanza para toda la comunidad, liderada por un joven llamado Dennis Jernigan. Jóvenes de todas las denominaciones, de escuelas secundarias y universidades en Oklahoma, e incluso de Texas y Arkansas, llegaban a alabar a Dios por varias horas en lugar de ir a las fiestas y juegos de fútbol americano de los viernes en la noche. Junto con nuestras oraciones, sin duda muchos otros padres estaban orando por sus adolescentes. Pastores de jóvenes estaban trabajando y orando por ellos, y Jesús mismo estaba intercediendo día y noche a la diestra del Padre.

¿Qué pasó en la cima de nuestros tres años de oración los miércoles? Teníamos un sentimiento más grande de que Dios haría algo único en esta generación y que era nuestro privilegio orar por ellos. Él nos había dado un amor real por la juventud, tanto para, los agradables como para los desagradables.

Muchas veces no sabíamos específicamente por qué estábamos orando por ciertas preocupaciones en esas horas juntas, pero sentíamos que el Espíritu Santo estaba dirigiendo nuestra intercesión. "Desde nuestra humana y limitada perspectiva, puede parecer que nosotras iniciamos la oración", dice Jennifer Dean en *The Praying Life* (La Vida de Oración). "Sentimos una necesidad o experimentamos un deseo de orar, y como resultado, oramos. En realidad nuestro sentimiento de necesidad o los deseos de oración son una respuesta a la iniciativa de Dios".

*Antes que clamen, yo responderé; mientras aún estén hablando, yo habré oído,* dice el Señor en Isaías 65:24. ¡Y cómo respondió y habló Dios! Muchos de nuestros hijos fueron tocados por Él durante los tres años de oración y desde entonces. Pero el impacto trascendió a nuestras familias.

## "El Grupo" Creció

Después de las reuniones de Noche de Alabanza, los adolescentes y estudiantes universitarios comenzaron a ir a la casa de Jan y Johnny para tener comunión. Estas reuniones de jóvenes aumentaron y aumentaron. Algunas de las personas jóvenes eran nuevos creyentes, y otros habían crecido en hogares cristianos, pero estaban experimentando una renovación. Ellos se reunieron en nuestra casa cada martes en la noche para un estudio bíblico. Luego querían comenzar a reunirse cada sábado en la noche para un tiempo de alabanza y adoración, así que la casa de Jan llegó a ser la sede.

Algunos de los jóvenes fueron a *"Teen Boot Camps"* (Campamentos Teen Boot realizados por *Precept Ministries* (Ministerios Precepto). Estos hombres jóvenes estaban creciendo a pasos agigantados, tanto en su conocimiento de la Palabra de Dios como en su relación con Cristo. Tenían un fuerte deseo de andar en pureza y servir a Dios en lugar de ir tras cosas materiales o popularidad.

Comenzamos a ver una especie peculiar de adolescentes, más apasionados por el Señor y más devotos a la intercesión por los perdidos. Desde luego, sabíamos que nuestras oraciones no eran la única razón por la cual Dios se estaba acercando a esta gente joven. Pero cuando los adolescentes pródigos comenzaron a entrar en tropel, vimos que Dios había estado haciendo algo todos esos miércoles de clamor.

Mientras continuamos orando, "El Grupo", como era llamado, se hizo más grande. Jan y Johnny, que tenían un gran corazón para los jóvenes creyentes, le dieron la bienvenida a todos los que llegaron, incluyendo adolescentes con aretes y cabello tinturado. "El Grupo" finalmente era más grande que su casa, y tuvieron que buscar un lugar más amplio.

Al mismo tiempo, un grupo de adultos que habían sido renovados en su relación con Dios comenzó a reunirse con Jan y Johnny, y luego de varios meses de oración surgió una visión común, una iglesia que recibiera la renovación, que pudiera equipar a la juventud y ofrecerle un lugar para crecer y ministrar, y que diera la bienvenida a los pródigos. Los dos grupos se unieron sólo con 50 adultos y "El Grupo", los estudiantes de secundaria y universitarios, para formar la iglesia *Edmond Fellowship*, comenzando a reunirse para los servicios en el centro local de la comunidad.

## Encendiendo la Pasión

Cada domingo cuando caminamos por el pasillo en el centro comunitario de Edmon, vemos el equipo de alabanza reunido. Charlie, Nathan, Brad, Brian y los otros músicos tocan el piano, guitarras y batería. Hay dos adultos en el equipo, pero la alabanza definitivamente tiene un estilo amistoso joven, pues la mayoría del equipo de alabanza está en sus tempranos 20.

La gente joven está en cada fila del auditorio. Cerca de la mitad de la congregación es menor de 25 años. Desde el principio hombres y mujeres estudiantes de secundaria y universidad trajeron a sus amigos y padres. Un miniavivamiento ha comenzado entre esta gente joven, y Dios está rompiendo el esquema con ellos.

"Dios está encendiendo la pasión por Jesús en el corazón de la gente joven de los Estados Unidos", dice Josh

Bottomley, un estudiante universitario que ministra a los adolescentes. Él ve a Dios manifestándose, equipando a gente joven para hacer bien en una cultura que está en decadencia moral. Él también ve a Dios dándoles compasión por los perdidos, heridos y quebrantados. Han ido en viajes misioneros a Honduras, Guatemala, Turquía y Sur América también han ministrado a los pobres en Chicago, Londres y Oklahoma City. Regularmente ministran en centros de enfermos de SIDA, asilos para ancianos, y se comprometen a evangelizar en sus campus. Tienen un servicio para toda la comunidad dos veces por mes, durante el cual se reúnen chicos de secundaria y universidad de muchos campus e iglesias.

Esta relativamente pequeña nueva iglesia, también se ha multiplicado rápidamente iniciando iglesias en casas de los campus en ocho universidades en el área de Oklahoma City y muchas otras ciudades cercanas; además han creado numerosas iglesias en casas para adultos y jóvenes de secundaria. Una activa iglesia en una casa para estudiantes internacionales en *University of Central Oklahoma* (Universidad del Centro de Oklahoma) se está expandiendo a medida que estudiantes de China, Japón y países del Medio Oriente vienen a realizar estudios universitarios.

Las oraciones de intercesión continúan llevándose a cabo los martes y domingos en la mañana al igual que en otros horarios. Le estamos pidiendo al Señor que manifieste su Espíritu. Apenas estamos viendo el comienzo de su obra y su poder, y queremos verlo obrar en toda su magnitud. Como lo expresó J. Edwin Orr un historiador de avivamientos alrededor del mundo: "Ningún despertar espiritual ha comenzado en ninguna parte del mundo sin un grupo de cristianos orando unánime y persistentemente por un avivamiento".[12]

## La Nube de Testigos

Mientras oramos asociamos nuestras oraciones con otras en nuestro país y en el mundo, y con las de los santos a través de los siglos; esa grande nube de testigos mencionada en Hebreos. ¡Qué emocionante ser una pequeña parte de lo que Dios está haciendo! Cuán importante hacer mi parte para traer al trono de la gracia gente joven y a los perdidos de nuestras comunidades.

"Debo hacer el lado humano de la intercesión, utilizando las circunstancias en las que me encuentro y la gente que me rodea", dice Oswald Chambers. "Debo guardar mi vida como un lugar sagrado para el Espíritu Santo. Luego mientras llevo a diferentes personas en oración a Dios, el Espíritu santo intercede por ellos... Y sin esa intercesión, las vidas de otros quedarán en pobreza y ruina". [13]

## Poniendo Acción a Nuestras Oraciones

Mantén estos principios en mente mientras oras por avivamiento.

*Comprométete en oración prevaleciente.* "El secreto de prevalecer es simplemente orar hasta que la respuesta llegue", dice Wesley Duewel.[14] La cantidad de tiempo no interesa, dice él; cuando la respuesta parece especialmente lenta, es una prueba de fe. ¿Por qué o por quién necesitas comprometerte en oración prevaleciente, tal vez compartiendo esta necesidad con otros para que te pueden apoyar?

Si te preocupa la juventud de tu ciudad, ¿podrías comprometerte a orar por avivamiento hasta que éste llegue, a tu hogar, iglesia o escuela?

*Ora por esta generación joven.* Lo que está sucediendo entre nuestra juventud es una pequeña muestra de lo que está pasando en otros lugares. En Nueva Zelanda un país donde sólo el 5 por ciento de la población es cristiana, y la apatía espiritual caracteriza a los adultos, los niños y los jóvenes están ardiendo por Cristo, reporta Deidre Chicken, quien coordina más de 300 grupos de Madres Unidas Para Orar. Mucho se ha profetizado acerca de esta generación de gente joven, pero Dios se está manifestando poderosamente entre la juventud. El más grande despertar espiritual que el mundo haya visto puede comenzar con ellos.

*Señor, revela tu plan, propósito y visión*
*para las vidas de niños y jóvenes, tanto en nuestra iglesia como en la ciudad,*
*a través de nuestro país y el mundo.*
*Fortalece sus corazones y su compromiso con Cristo,*
*y concede que tus deseos lleguen a ser sus deseos.*

*En el nombre de Jesús. Amén*

*Cuando una madre ora por su hijo desobediente,*
*no hay palabras que puedan hacer clara la viva*
*realidad de sus súplicas...*
*Ella en realidad no piensa que está persuadiendo a Dios*
*para que sea bueno con su hijo,*
*porque el valor de la oración se debe a su verdadera fe*
*de que Dios también desea que ese hijo sea*
*restaurado de su pecado.*
*En lugar de esto está tomando en su corazón la misma carga*
*que Dios tiene en el asunto; está uniendo su demanda*
*al deseo divino.*
*En este sistema de vida personal que constituye*
*el universo moral,*
*ella está tomando su lugar al lado de Dios*
*en un urgente, y creativo derramamiento de amor sacrificial.*
*Su intercesión es la muerte de su vida;*
*Es amor de rodillas.*

HARRY EMERSON FOSDICK

CAPÍTULO NUEVE

......

# Orando por los Pródigos

*Hermanos, si alguno de entre vosotros*
*se ha extraviado de la verdad y alguno lo hace volver,*
*sepa que el que haga volver al pecador del error*
*de su camino,*
*salvará de muerte un alma y cubrirá multitud de pecados*
(Santiago 5:19-20)

SHeryl se estaba tomando los últimos sorbos de café antes de salir para la reunión del ministerio de mujeres, cuando sonó el teléfono. "Señora Stewart, necesito alguna información acerca de su hijo Trent", dijo la voz.

"¿Para qué? ¿Sufrió algún accidente?" Preguntó ella, mientras su corazón y su mente se aceleraban.

"No señora, su hijo fue arrestado por posesión y venta de drogas ilegales. Necesitará un buen abogado".

Paralizada Sheryl se recostó contra la pared de la cocina, tratando de asimilar las palabras del funcionario: "...delito de felonía... ...podría recibir de 5 a 10 años... fianza de 50.000 dólares..." Cuando la realidad penetró ella se sintió físicamente enferma y comenzó a sollozar.

Durante las primeras 24 horas se alternaron los baldados de lágrimas con la diarrea. El sueño nunca llegó. Pero cuando amaneció, aún adolorida y ansiosa por su hijo, hizo la consciente decisión de darle gracias a Dios por permitir el arresto de Trent y por prometer en su Palabra que todas las circunstancias, incluso esta, nos ayudan a bien.

Apenas 8 días antes, durante la semana de vacaciones de la universidad, en primavera, sus padres lo habían confrontado. Ellos sabían que él estaba usando drogas, pero no que las vendía. "Es muy probable que seas descubierto", le había dicho Sheryl, describiendo las consecuencias. Pero sus advertencias cayeron en oídos sordos.

El problema con las drogas no era nuevo. Trent había comenzado con el alcohol en la secundaria y luego había seguido con la mariguana. Cuando sus padres pusieron barreras, el hogar se convirtió en un campo de batalla. Entre más trataban de ayudarlo y hacerlo responsable, más se resistía. Trent odiaba las intenciones "controladoras" de sus padres, y Sheryl temía levantarse cada mañana para enfrentar la siguiente escaramuza.

"¿Qué hicimos mal?", se preguntaba. Ella y su esposo habían tenido sus hijos en un hogar cristiano, y ambos habían servido a Dios por años en un ministerio. Se habían involucrado en sus escuelas y deportes de sus hijos. Las actividades familiares habían sido una prioridad. Sheryl había orado por sus hijos diariamente en sus propios grupos. Ahora todo era una guerra constante.

En su angustia por la rebeldía de Trent, Sheryl era conducida a sus rodillas. Mientras derramaba cada vez más su corazón ante Dios, se dio cuenta de que nunca había sabido realmente cómo conectarse emocionalmente con Él. Pasaba la mayor parte de su tiempo quieto preparándose para enseñar estudios bíblicos y orando por su lista de peticiones y necesidades, casi como si estuviera llevando a cabo la lista de "cosas por hacer".

## Conectándote con Dios

Sheryl cambió su forma de planear. Puso de lado su agenda y cada mañana entraba en la presencia de Dios, sólo para experimentar su amor y conectarse con Él a través de uno o dos versículos. El versículo del día llegó a ser un trampolín para la comunión y la constante oración durante el día. Comenzó a entender qué significaba estar en quietud y saber que Él es Dios.

Mientras lo hizo, Dios la movió de enfocarse en todas las cosas negativas de su hijo, a alabarle a Él por las positivas. Aún así comenzó una guerra espiritual, emocional y metal. Cuando Trent era rudo o no cooperaba, se sentía tentada a reaccionar. Así que conscientemente debía ponerse "un vestido de alabanza".

Ella leía su pasaje bíblico diariamente hasta que el Espíritu Santo la detenía en un versículo. Luego lo escribía en dos tarjetas, colocaba una en el marco claro del lavaplatos y la otra en el tablero de su carro; luego le pedía a Dios que le enseñara algo acerca de su carácter revelado en el versículo, y lo alababa todo el día por ese atributo. Su enfoque era Dios, no el problema.

Mientras estuvo quieta delante de Dios, y permitió que le hablara, también buscaba en el versículo verdades acerca de ella, su esposo y sus hijos, y a través del día se concentraba en él para cada persona, especialmente en Trent. "Imaginar cómo sería cuando ese versículo fuera real en él, y darle gracias a Dios porque sucedería en su tiempo, me trajo tremenda paz", dice ella. Por la disciplina consciente, ella cambió el enfoque de su actitud rebelde en quién era él como un hijo de Dios. Las tormentas en casa no se disiparon inmediatamente, pero con el tiempo su actitud cambió y lo que Dios haría le produjo gran emoción.

Un versículo que ella escogió fue Efesios 2:10: *...pues somos hechura suya, creados en Cristo Jesús para buenas obras, las cuales Dios preparó de antemano para que anduviéramos en ellas.* Este versículo le recordó que sus hijos eran hechura de Dios, no de ella. Su mano de obra es impecable, y Él termina lo que empieza. Él los había creado para "buenas obras", así que oró para que ellos respondieran a su guía.

## La Oración nos Sustenta en los Días más Oscuros

Tres años de alabanza diaria al Señor por quién es Él y cómo está trabajando en su familia no sólo hizo más profunda su relación con el Señor, también la preparó para lo que venía. Externamente las cosas empeoraron. Aunque Trent dejó de usar drogas por poco tiempo durante el verano, comenzó a usarlas y a venderlas de nuevo cuando regresó a la universidad.

Sheryl oró y ayunó. De este tiempo resultaron una paz profunda y una confianza en que Dios aún estaba en control y no lo iba a soltar.

Dos días después, Trent fue arrestado y finalmente sentenciado a seis meses de prisión. En una carta que escribió desde allí narró a las 30 personas que habían estado orando por él, los siguientes eventos:

> "Después de que fui arrestado con múltiples cargos de felonía por drogas, no tenía idea sobre qué tan drástica y rápidamente Dios haría su trabajo. Antes de mi arresto, mi vida era vender drogas. Era indiferente con mi familia y estaba desperdiciando mi educación. Dios me rescató de las profundidades de mi desesperación allanando mi apartamento y limpiando las impurezas físicas de mi vida. Desde ese punto Él me cuidó y comenzó a trabajar en mi vida. Permitió que saliera de la cárcel aunque bajo una fianza de 50.000 dólares, me

llevó a casa, a una familia y amigos espirituales, y me dio sólo seis meses en la cárcel cuando hubieran podido ser años.

La cárcel fue el tiempo más admirable de mi vida. Tuve el privilegio de renunciar a este mundo y a mi vida antigua, y pasar tiempo con Dios por cuatro meses. Él me volteó completamente al revés mientras aprendía y experimentaba la fortaleza de su perspectiva. Ahora mi vida es suya, y no puedo esperar para ver lo que Él hará con ella. Sé que fueron las oraciones de muchos las que mantuvieron a Dios tan cerca de mí, y mis ojos en Él para que no pudiera ver otro camino. A veces desearía poder medir el poder de la oración porque con seguridad es el poder más grande que tenemos. Y el mejor regalo que le podemos dar a cualquier otro. Muchas gracias por todas sus oraciones. Que el amor de Dios toque sus vidas como tocó la mía".

Cuando Trent regresó a la universidad, al otoño siguiente, dio pasos firmes. Compartió con otros estudiantes, sus profesores e incluso con aquellos a quienes les había vendido drogas, lo que Dios había hecho en su vida. Se ha mantenido sobrio y ha estado orando y ayunando por su generación. Él reconoce el llamado de Dios en su vida, y que ha sido, de hecho, "creado para buenas obras".

## Amor de Rodillas

"Como madre debo hacer fiel, paciente, amorosa y felizmente mi parte, y luego esperar tranquilamente a que Dios haga la suya", dice Ruth Bell Graham en *Prodigals and Those who Love Them* (Los Pródigos y Aquellos que los Aman), reflexionando en la experiencia con sus hijos. Mucha de nuestra parte es orar, eso es "amor de rodillas", todo el tiempo soltando a nuestros hijos a Dios y permitiendo que el Espíritu Santo les ministre en lugar de tratar de ser su Espíritu Santo personal. Quizá pensabas que ya le habías confiado tu hijo a Dios, hasta cuando tu pródigo tomó un par más de malas decisiones. Enfrentando esa situación, la mayoría de nosotras retomamos las cosas en nuestras manos y tratamos de arreglarlas. Cuando nuestros pródigos siguen cometiendo errores, nos hallamos desgarradas: "Preguntándonos: ¿Hasta qué punto debo ayudar? ¿Por qué toma tanto tiempo? ¿Puedo realmente soltar y confiar en Dios en cuanto a este hijo?

"Soy una madre de oración gracias a la necesidad", dice Lydie. "Si no fuera así me encontraría internada en un hospital para enfermos mentales".

Su hijo Carson tomó algunas malas decisiones que le trajeron consecuencias legales. Aunque podía asistir a la escuela de verano que quedaba a dos horas, una corte le impuso el servicio comunitario, y restricciones para conducir y trabajar.

Un lunes en la tarde Lydie recibió una llamada de Carson llorando porque se había vuelto a lastimar la espalda. Por ser un chico alto, se había quejado de dolores de espalda por muchos años. Cuando estalló el dolor, los médicos dijeron que había un músculo estirado, y lo trataron con pastillas para el dolor y relajantes musculares. Esta vez el dolor era tan fuerte que tuvo que ir a una sala de emergencias. Debido a la pérdida de clases estaba furioso porque ya había pasado el límite de fallas y era peligroso que perdiera el curso. Lydie trató de consolarlo y animarlo, pero él estaba emocionalmente descontrolado.

"La madre dentro de mí quería conducir dos horas hasta Atlanta y abrazar a mi niño, pero Dios siguió susurrando a mi corazón que lo soltara. Lloré mientras le decía: 'Está bien, me quitaré del camino para que puedas obrar'". Tuve que hacer mucho esfuerzo para decir esas palabras, y soltárselo a Dios. Sabiendo que si se quedaba en casa lo llamaría o viajaría a Atlanta, Lydie decidió ir a la iglesia con su esposo y trabajar mientras él estaba en una reunión de diáconos.

Cuando regresaron a casa esa noche, Stan llamó a su hijo y le preguntó si podía orar por él en el teléfono. Anteriormente Carson habría respondido a ese tipo de pregunta burlándose de ellos.

"Esta noche fue diferente", dice Lydie. "Él no tenía a quién más acudir sino a Jesús".

Luego de que su padre oró por sanidad física y espiritual, Carson le dijo que lo amaba.

"Para algunos eso no es gran cosa, pero ¡estamos comenzando a ver polvo en el aire mientras las paredes del egoísmo empiezan a derrumbarse! Continuamos clamando con todo el corazón para que Carson conozca a Jesús. ¡Dios es fiel para responder cuando estoy dispuesta a quitarme del camino y permitirle que se acerque a nuestro hijo!"

Las experiencias de Sheryl y Lydie me recuerdan del poema *Broken Dreams* (Sueños Rotos):

> Como los niños traen con lágrimas sus juguetes rotos
> para que los remendemos,
> traje mis sueños rotos a Dios
> porque Él era mi amigo.
> Pero luego, en lugar de dejarlo
> en paz para que trabajara solo,
> estuve por ahí y traté de ayudar
> de formas que eran mías.
> Finalmente se los arrebaté y lloré,
> "¿cómo puedes ser tan lento?"
> "Hijo mío", dijo Él, "¿qué podía hacer?
> Nunca los soltaste".
>
> ANÓNIMO

Cuando confiamos en Dios lo suficiente como para entregarle nuestros sueños rotos, "no sólo los volvemos a recibir restaurados en forma gloriosa, sino que también se nos entrega un adicional sorprendente", dice Catherine Marshall. "Nos damos cuenta por nosotras mismas, como los santos y místicos afirman, que durante el oscuro período de espera, cuando había cesado el esfuerzo propio, un aumento repentino de sorprendente crecimiento espiritual ocurrió en nosotras. Después de esto, tenemos cualidades tales como más paciencia, más amor para el Señor y los que nos rodean, mayor habilidad para escuchar su voz, y más disposición para obedecer".[1]

## El Señor de la Brecha

Orar por los pródigos trae una manera especial de escuchar a Dios para no apoyarnos en nuestra propia prudencia o fórmulas. Mientras que nos apresuramos a orar lo que creemos que Dios debería hacer, Él puede tener un plan diferente, y éste a menudo viene cuando estamos más desanimadas.

Cada vez que Gina oraba por su hijo Aarón, venía a su mente la palabra *diluvio*. Pero ella la ignoraba y continuaba orando las Escrituras para su hijo y pidiéndole a Dios que por favor hiciera algo en cuanto a las armas y drogas que él había comprado y vendido, y los malos amigos con los que pasaba tiempo. Pero la brecha entre el comportamiento de Aarón y las promesas de la Escritura era tan grande que ella se desanimó más. Un día se sinceró con Dios diciéndole: "He orado y confesado esto miles de veces, pero supongo que no lo creo más. Sabes, Señor, estoy cansada de orar por estas cosas. Quiero seguir tu voluntad y ser una buena guerrera de oración, pero ¡estoy más deprimida cuando termino de orar por Aarón que cuando comienzo!"

Era como si Dios dijera: "Estaba esperando que dejaras de lado tu forma de hacerlo". Enseguida vino a su mente Isaías 55:8: *Porque mis pensamientos no son vuestros pen-*

*samientos ni vuestros caminos mis caminos, dice Jehová.* Como su método parecía no estar funcionando, entonces comenzó a pensar en los métodos de Dios y en esa constante palabra *diluvio*.

Mientras rastreaba *diluvio* a través de la Biblia, vio un mismo patrón: *Vio Jehová que la maldad de los hombres era mucha en la tierra... ...fueron rotas todas las fuentes del gran abismo y abiertas las cataratas de los cielos* (Génesis 6:5; 7:11). *...Dios abrió una brecha entre mis enemigos por mi mano, como un torrente de agua,* dice David en 1 Crónicas 14:11. De hecho David lo llama el Señor de la Brecha, como en el brotar de las aguas. De nuevo, en Nahum 1:8, la venganza de Dios contra sus enemigos, en Nínive, es descrita como un diluvio: *Mas con inundación impetuosa consumirá a sus adversarios, y las tinieblas perseguirán a sus enemigos*.

Lo que ella pensó que Dios podía hacer, su "expectativa", se amplió. Se dio cuenta de que Él puede romper la fortaleza que parece impenetrable. A veces trabaja poco a poco y paso a paso la persona se acerca más a Él. Pero algunas veces viene como un diluvio para cambiar vidas. Ella sabía que su hijo no necesitaba estar sólo un centímetro más cerca de Dios, sino un cambio radical.

"No busques ninguna mejoría hasta que no haya un cambio completo", parecía decirle el Espíritu Santo. "Yo lo cambiaré algún día; lo levantaré y lo pondré en el lugar al que lo he llamado".

"¿Cómo lo vas a alcanzar? Preguntó Gina. Aarón no estaba yendo a la iglesia y ni si quiera pidiendo oración.

"Sólo sigue orando por la brecha, por el diluvio en su vida y confía en mí", fue la respuesta.

Pasaron siete meses sin ver ningún cambio. Luego una noche, el Señor trajo un diluvio; Él inundó la habitación de

Aarón y su corazón con su presencia. Le dio una visión clara sobre cómo sería su vida en un año si no se reconciliaba con Él. Lo que vio lo asustó tanto que no se podía mover, y temblando comenzó a orar. Cayó de rodillas delante de Dios llorando por sus pecados. Después llamó por teléfono a un amigo para que viniera a orar con él.

Cuando llamó a su madre al siguiente día, era una persona diferente. Ella apenas podía creer lo que había pasado. Ahora, ocho meses después de su "brecha", Aarón asiste a un escuela bíblica, enseña un estudio bíblico para más de 35 adolescentes cada semana, y pasa mucho tiempo en oración. "Yo sólo quería que dejara las drogas y fuera a la iglesia. No pensé que él correría a Dios con estas intensas cargas de oración", dice Gina. Dios hizo excesivamente más de lo que ella pidió.

Este concepto de brecha tiene su paralelo en la naturaleza. "Cuando se levanta un dique en el valle de una montaña, su construcción puede tomar meses. Luego el agua comienza a acumularse detrás del dique, lo cual puede tomar meses o incluso un año o más. Pero cuando el nivel del agua alcanza la altura correcta, se abren las puertas del conducto, el agua comienza a girar los generadores, y se produce una tremenda fuerza". Quizá algo así sucede en el área espiritual, dice Wesley Duewel. "Entre más y más gente unida en oración o mientras la persona prevaleciente ore más y más, parece como si una gran masa de oración fuera acumulada hasta que de repente se abre una brecha y se cumple la voluntad de Dios… Las oraciones hechas en la voluntad de Dios no se pierden, sino que se acumulan hasta que Dios da la respuesta".[2]

## No te Rindas tan Pronto

¿Has estado amontonando oraciones por un pródigo sin ver un centímetro de movimiento? ¿Estás agotada y tentada a rendirte? ¿Recuerdas lo que Jesús dijo en Mateo 7:7? *Pedid, y se os dará; buscad, y hallaréis; llamad, y se os abrirá*... Él no estaba sugiriendo sólo decir una vez: "Por favor Dios, haz esto..." Él nos dice: ¡pide y sigue pidiendo, busca y sigue buscando, llama y llama persistentemente!

Florence Chadwick también puede tener algo para decir acerca de esto.

En 1952 fue asignada para cruzar nadando el canal desde la isla Catalina hasta la costa de California. Como había sido la primera mujer en cruzar el Canal Inglés, nadar distancias largas no era algo nuevo para ella. Pero ese día el agua se estaba enfriando, la niebla era tan densa que apenas podía ver los botes a su alrededor y las aguas infestadas de tiburones, a los que sus entrenadores en los botes acompañantes tenían que espantar con rifles.

Ella nadó por 15 horas, desafiando el entumecedor frío y los tiburones. Finalmente como no daba más, les pidió a sus entrenadores que la subieran al bote. Ellos la animaron a seguir nadando ya que estaban cerca de tierra, pero todo lo que Florence podía ver era la niebla.

Florence se rindió, y cuando se subió al bote, vio que sólo estaba a media milla de la playa. Había parado cerca de su destino.

A veces llegamos a estar envueltos en una niebla de desánimo o cansancio, y parece que las cosas nunca van a cambiar. Pero sigue adelante. Continúa orando. Reúne a otras madres para que te ayuden a perseverar. La brecha puede estar sólo a la vuelta de la esquina.

Como Andrew Murray dice: "A menudo la oración debe ser acumulada hasta que Dios vea que su medida está llena. La respuesta llega. Justo como cada una de las 10.000

semillas es parte de la cosecha final, frecuentemente repetida, la oración que persevera es necesaria para conseguir una bendición deseada... La fe real nunca puede ser desilusionada. Sabe que para ejercitar su poder, debe ser acumulada, justo como el agua, hasta que la corriente pueda llegar con toda su fuerza".[3]

## Poniendo Acción a Nuestras Oraciones

Tal vez te sientes como la madre que me dijo: "Se me han acabado las formas de orar por mi pródigo, y él todavía huye de Dios dirigiéndose hacia la destrucción". Espero que las siguientes ideas te animen y ayuden a perseverar en tus oraciones.

*Ora por una "barrera de espinos"*. La esposa de Oseas, Gomer, era adúltera y corría continuamente tras otros amantes. Oseas dijo: *Por tanto, cerraré con espinos su camino, la cercaré con seto y no hallará sus caminos. Seguirá a sus amantes, pero no los alcanzará; los buscará, pero no los hallará...* (Oseas 2:6-7).

Cuando un joven no tiene la sabiduría para ver el sendero destructivo en el que está, podemos orar: "Señor, te pido que construyas una barrera de espinos alrededor de (nombre), que lo separe de cualquier influencia no ordenada por ti. Oro para que quienes lo seduzcan a la maldad pierdan el interés y se aparten de él. También oro para que lo rodees y que él no pueda tener contacto con aquellos que están fuera de tu voluntad". Así como las acciones de Oseas hicieron que los amantes de Gomer se fueran, esta oración puede formar un doble cerco, uno adentro y otro afuera. Como lo dice mi amiga Karen: "¡No hay nada malo en frustrar el mal!".

Esta oración no garantiza que la voluntad de nuestros hijos cambie, ya que Dios nos dio voluntad libre; pero Él puede quitar las malas influencias. Cuando eso pasa, oramos para que ¡en su frustración nuestros hijos se vuelvan a Dios!

*No menosprecies el ministerio de la lágrimas.* Quizás hay ocasiones cuando ya no tienes palabras, y todo lo que puedes hacer es llorar por tu hijo. Debes saber que el ministerio de las lágrimas no es en vano. A través de éste, el Espíritu Santo intercede: *...pues qué hemos de pedir como conviene, no lo sabemos, pero el Espíritu mismo intercede por nosotros con gemidos indecibles* (Romanos 8:26). De hecho, la madre de un pródigo pudo haber escrito: *Mis huidas tú has contado; pon mis lágrimas en tu redoma; ¿no están ellas en tu libro?* (Salmo 56:8).

*¡Oh Señor mi Dios! Enséñame cómo conocer tu camino*
*y por fe aprender lo que tu amado Hijo ha enseñado:*
*"Él los vengará rápidamente". Permite que tu tierno amor,*
*y el deleite que tienes al escuchar y bendecir a tus hijos,*
*me lleve implícitamente a aceptar la promesa de que*
*podemos recibir cualquier cosa que pidamos,*
*y que la respuesta será vista a su debido tiempo.*
*¡Señor! Entendemos las estaciones de la naturaleza;*
*sabemos esperar*
*el fruto que deseamos. Llénanos con la certeza de que*
*no te demorarás un momento más de lo necesario,*
*y que nuestra fe acelerará la respuesta.*

ANDREW MURRAY

*¿Tienes amados viviendo a una gran distancia?*
*¿Tal vez un hijo o una hija que salió para estudiar?*
*A mi madre y a mí nos separaba todo el estado de Wisconsin,*
*más allá, la inmensidad del lago Michigan.*
*Aun así ambas sentíamos una unidad*
*que trascendía las millas que nos separaban.*
*Dios no está limitado por el espacio, como nosotros.*
*Él puede alcanzar y dar el sentido unificador de su presencia*
*No sólo a las personas sentadas a nuestro lado en la habitación,*
*sino a los individuos que están separados por los continentes.*

EVELYN CHRISTENSON

CAPÍTULO DIEZ

# Cuando tu Hijo Sale de Casa

*No tengo yo mayor gozo*
*que oír que mis hijos andan en la verdad*
(3 Juan 1:4)

Ahora son independientes.
Tus cuentas de mercado son menores, la cantidad de ropa para lavar ha disminuido y ocasionalmente una llamada telefónica sí es para *ti*.

Tus hijos no son los únicos que experimentan un choque cultural cuando salen de casa por primera vez, ya sea que vayan a la universidad, la escuela industrial o un trabajo de tiempo completo. Por primera vez no están bajo tu techo, no están a tus pies, bajo tus "alas". No más charlas en la noche sobre los cuatro exámenes que vienen o la cita del viernes en la noche. No más oportunidades para lograr conversaciones de corazón a corazón cuando los encuentras con ganas de hablar. Como una madre dijo: "Es difícil hablar acerca de asuntos del corazón con nuestro hijo cuando está a cientos de millas. Obtenemos información general como a dónde irá durante la semana libre de la primavera, o qué hace el fin de semana, pero es difícil saber las cosas específicas de su vida".

Es tentador, y cándidamente da quizá un poco de descanso, pensar que "ahora son independientes", y permitir que tanto nuestro soporte en la comunicación y la oración mengüen. Aun así el doctor James Dobson llama la edad entre los 16 y 26 años, la década crítica, porque los jóvenes están tomando decisiones que afectarán toda su vida, tal vez decidiendo sobre una carrera, escogiendo pareja, o afirmándose en un estilo de vida. ¿Renunciarán a su fe como muchos jóvenes en estos años, o llegarán a estar más comprometidos con Cristo y desarrollarán una fe más fuerte?

Los chicos universitarios ciertamente enfrentan muchos retos académicos, financieros, morales y espirituales. Muchos toman clases que enseñan humanismo secular y desafían su fe. La política nacional considera a los jóvenes de 18 años como independientes de sus padres. Así que por ley, las universidades no pueden enviar las calificaciones a los padres, informarles que su hijo tiene SIDA o que su hija está embarazada.[1]

En estos años muchos jóvenes adultos están espiritualmente "en veremos". La mayoría de hombres y mujeres jóvenes pasan por una crisis de fe en la cual deciden si aceptan o no, como personal, la fe de sus padres. Cuando son expuestos a filosofías y sistemas de creencias que varían desde humanismo, hasta Nueva Era, islamismo, hasta agnosticismo, su fe será probada.

¿Cómo pueden nuestras oraciones ir con ellos cuando salen de casa?

## Parándose en la Brecha

Cuando mi joven amigo Brent fue aceptado en la escuela Estatal de Matemáticas y Ciencias, tuvo que salir de casa un año antes de terminar la secundaria y mudarse al campus de la Universidad de Oklahoma, a una hora de su familia. Brent era muy brillante y esta era una oportunidad extraordinaria. Su madre, Kathy, estaba en un grupo de oración que lo cubría cada semana. Ellas pidieron la protección de Dios para su mente, con el fin de que su fe se fortaleciera y no fuera menoscabada por el intelectualismo.

Debido a que Brent venía a casa cada fin de semana, sus padres podían hablar con él y mantenerse en contacto cercano. Como tuvo éxito en los estudios, al final del año ganó una beca para el Instituto Tecnológico de Massachusetts en Boston. A los 18 años se mudó a más de 1600 millas de su familia e iglesia en Oklahoma.

Sus padres se mantuvieron en contacto tanto como les era posible, pero les preocupaba que Brent no tenía compañerismo cristiano. Él trató de comenzar un estudio bíblico, pero nadie fue. Luego se unió a una fraternidad, pero seguía ansioso por compañía espiritual.

Sin embargo, en el semestre de primavera, un compañero le ofreció su amistad y le pidió que se encontraran para tomar un café y hablar de asuntos espirituales. Contento por tener un amigo con el cual pasar tiempo, Brent estuvo de acuerdo. Se reunieron en varias ocasiones durante la semana con dos hombres que su amigo había traído. Brent pronto comenzó a ir a la iglesia con ellos, y sus padres estuvieron animados porque al fin tenía algún apoyo espiritual.

Una día cuando Brent llamó a casa, le dijo a su madre que los hombres habían venido a su habitación todas las noches esa semana, y que también le habían asignado un "discipulador", y le estaban ensañando sobre cómo llevar personas al reino. Algo de lo que compartió sobre sus enseñanzas puso a Kathy intranquila, porque no se acomodaba a la Biblia. Entonces el siguiente día llamó al pastor y compartió sus preocupaciones, incluyendo el hecho de que esos hombres se habían reunido con Brent aquella semana. Ella le preguntó si sabía algo sobre aquella iglesia.

El pastor llamó a un pastor amigo en Boston para investigar, y dos días después llamó de nuevo a Kathy, para contarle que la iglesia era conocida en el área como una secta.

"Cuando colgué el teléfono, mi corazón latía violentamente", dice Kathy. "Traté de llamar a John y un par de amigas, pero no encontré a ninguno. Sentí como si Dios me estuviera diciendo: '¡Habla conmigo de esto!'" Kathy fue directo a orar, y 10 minutos después un amigo llamó. Ella le contó sus preocupaciones por Brent y le preguntó si sabía algo sobre el grupo. Como él conocía a un joven que acababa de salir de la secta, le pidió que llamara a Kathy para que le diera más información.

Las noticias no eran buenas. "El grupo es totalmente dominante. Todo el mundo tiene un discipulador que te dice dónde vivir, y trabajar, cómo gastar tu dinero, y con quién casarte", dijo el hombre. "Una vez se entra, es muy difícil salir. Dígale a su hijo que se mantenga alejado".

Kathy quería orar desesperadamente por esto antes de llamar a Brent, pero tenía que llevar el grupo de porristas donde estaba su hija a una reunión de toda la noche en Tulsa. Como tan pronto arrancó, todas la chicas estaban dormidas, tuvo dos horas para interceder por su hijo y pedir que ángeles protectores estuvieran con él.

"Quería volar allá y decirles: ¡Deténganse!, ¡paren! Y aun así eso es lo que la oración puede hacer. Nos podemos comunicar con el Creador del universo", dice Kathy. Mientras manejaba, Efesios 6 vino a su mente y oró a fin de que su hijo estuviera totalmente vestido con la armadura de Dios para esta batalla espiritual.

Al día siguiente, el padre de Brent le envió un mensaje por correo electrónico: "Hijo, no te unas a nada de lo que no conozcas todo". Esa noche el grupo de estudio bíblico y algunos amigos de John y Kathy oraron por Brent, quien en ese momento estaba siendo interrogado por el grupo acerca de su decisión de unirse a ellos.

Brent llamó a sus padres la siguiente noche, para contarles que les había dicho a los chicos que sentía que Dios le estaba diciendo que no siguiera en esa iglesia.

"¿Cómo supiste que era Dios?" Le habían preguntado ellos.

"Simplemente sé", respondió. Aunque trataron de convencerlo de que Jesús recomendaba que dejara a su padre y madre, y se uniera a ellos, él se mantuvo firme. Las oraciones de Kathy y John, y las de sus amigos, habían sido respondidas claramente.

Ahora cada vez que Kathy se siente impotente, estando tan lejos de su hijo, Dios le recuerda de nuevo: "Tú intercede aquí y yo cuidaré de él allá". Él le recuerda que es Omnipresente, y que por lo tanto está tan presente en Massachusetts como en Oklahoma. También le recuerda que es Omnisciente; que su conocimiento incluye todo lo que ha existido o existirá, y que aun así la invita a orar y a dar a conocer sus peticiones.

## Llamadas de Larga Distancia

Ir a una academia militar había sido el sueño de Brian por años, pero era sólo eso, un sueño. Su padre había muerto después de una larga enfermedad cuando él cursaba el penúltimo grado de secundaria. Mientras pasaron los meses, su sueño de ir a una academia militar también se estaba extinguiendo por no tener respuesta de ninguna de la academias en las que se había inscrito. Su esperanza y fe se estaban marchitando. Su madre, sin embargo, continuaba orando por él, específicamente por una oportunidad en *West Point* (Punto Oeste), por hombres piadosos a su alrededor, y por dirección para su vida.

Enfrentando la realidad, Brian finalmente decidió ser bombero, para lo cual se inscribió en una universidad local. Pero el 26 de abril de 1995 el oficial de la Representativa Congresional local llamó y preguntó por Brian.

Su madre, Marilyn, se quedó mirándolo mientras él tomaba el teléfono. "Sabía que algo grande estaba sucediendo, pero no tenía ni idea qué. Lo vi erguirse, luego colgar el teléfono y anunciar que un oficial de *West Point* venía". En nueve semanas Brian estaba en un avión viajando hacía Nueva York para comenzar su carrera de oficial militar.

Marilyn estaba emocionada por la oportunidad para su hijo, pero a la vez nerviosa por las tentaciones que tendría que enfrentar lejos de casa. No estaba andando con Cristo y sólo iba a la iglesia cuando tenía que hacerlo. Ella estaría en la costa del oeste y la del este. ¿Olvidaría los valores que ella le había enseñado?

"Señor", oró, "West Point es tan lejos. ¿Podré encontrar a otra madre cristiana en algún lugar, para que ore conmigo?" Él sólo estaba esperando que Marilyn se lo pidiera, ya que pronto encontró dos madres de West Point, una del pueblo aledaño y la otra a 20 minutos. Ahora Marilyn envía por correo electrónico versículos de ánimo y peticiones de oración a una madre. Ella y la otra madre oran y se animan por teléfono. Aunque la madres han orado con ella acerca de muchas cosas por Brian, constantemente se centran en el deseo de su corazón: que sea rodeado por cadetes cristianos.

Después de su primer año, dos cadetes vinieron a visitar a Brian en casa durante las vacaciones de verano. Uno entró con una camiseta de *West Point Fellowship of Christian Athletes* (Compañerismo de Atletas Cristianos de West Point) y compartió historias sobre cómo se sintió guiado por Dios a viajar por autostop la mitad del camino a casa en las vacaciones y a testificar en el camino. La abuela del otro cadete está en un asilo de ancianos a una milla de la casa de Brian. Ambos hombres aman al Señor.

Sin embargo, la más grande respuesta ha sido el cambio en el corazón de Brian, quienes en lugar de alejarse de Dios se está acercando.

## Volviéndote a la Palabra de Dios

*Lámpara es a mis pies tu palabra y lumbrera a mi camino,* nos dice el Salmo 119:105. Sabemos que podemos darle a nuestros hijos la sabiduría que necesitan para las decisiones, y el discernimiento para diferenciar la verdad de las falsas filosofías a las que pueden ser expuestos en las universidades. La Palabra de Dios les puede traer libertad y guardarlos de pecar. Pero no podemos darles pequeños codazos, recordarles, o llevarlos a estudios bíblicos cuando están lejos de casa. Muchos adolescentes, en este tiempo se desvían de la Palabra de Dios.

Sharon se preocupaba por su hijo José, quien por muchos años no había andado con el Señor, y estaba espiritualmente desviado. Debido a un desorden, déficit de atención, luchó durante la secundaria entrando el último año en una profunda depresión y rebeldía.

Después de graduarse de secundaria, comenzó a salir de su depresión, y empezó a asistir a la universidad. Sharon oró el Salmo 119:36-37 por él: *Inclina mi* (su) *corazón a tus testimonios y no a la avaricia. Aparta mis* (sus) *ojos para que no se fijen en cosas vanas; avívame* (avívalo) *en tu camino.* Oró todo el año para que el Señor volviera su corazón hacia la Palabra, y así la verdad lo hiciera libre. Ella también le pidió a Dios que le proveyera un mentor espiritual.

Por muchos años Sharon oró sin ver ningún cambio en su hijo. Luego Dios envió una joven espiritual a la vida de José, y uno por uno dejó a sus amigos que no eran buena influencia para él. Sharon había pensado que el mentor por el que había orado sería un pastor joven, pero ¡Dios la sorprendió!

Inesperadamente un día, José vino y dijo: "Mamá, he decidido leer toda la Biblia". Se sumergió justo en Génesis, y cuando llegó a Levíticos, supieron que era en serio. Sharon comenzó a ver cambios milagrosos en su vida. Sus notas se elevaron, y fue aceptado en la Universidad Baylor. El día previo a la partida, cuando se sentaron a la mesa, su madre compartió acerca de la gran bendición que era su crecimiento espiritual para ella y para su padre. Él le dijo: "Mamá, mi vida comenzó a cambiar cuando comencé a leer la Biblia". Luego ella le pudo decir cómo había estado orando por años para que su corazón se volviera a la Palabra de Dios.

Dios puede mostrarnos cómo apuntar a la necesidad de nuestros hijos justo con el versículo correcto, aun si no estamos con ellos para ver lo que está pasando. Tengo muchos versículos que son régimen normal en mi tiempo de oración por mi hijo universitario Chris, pero hace un par de meses sentí la necesidad de una nueva dirección del Señor. Entonces le pedí que me revelara un versículo especial que estuviera justo en línea con sus intenciones hacia mi hijo.

Poco después una noche, tuve un sueño. En él Chris estaba de pie a mi lado, sosteniendo una Biblia y señalando un versículo como si dijera: "Ese soy yo mamá". El versículo era Hechos 17:28: *...porque en él vivimos, nos movemos y somos...* Sentí que Dios me estaba diciendo que la verdad acerca de Chris es que él vive y se mueve y es en Cristo, y que debería orar para que él se diera cuenta de esto. El Espíritu continúa señalándome ese versículo, para recordarme que siga orando y recordando que como Él es quien comenzó la buena obra en Chris, la completará.

## Cambiando un Campus

Las universidades son los campos de entrenamiento para la siguiente generación de profesores y líderes. Lo que suceda en esos campus influenciará a nuestros hijos, no sólo mientras asisten a clases, también porque allí se forman las ideas de la sociedad. Como dijo Gary Bauer: "La mayoría de nuestros hijos llega a la universidad con altos ideales, pero tristemente encuentra que las ideas tradicionales son burladas o incluso evitadas. En muchas universidades, la ausencia de verdad es la única verdad absoluta. Las universidades seculares han institucionalizado programas para promover licencias sexuales. Eventos como… el 'Concurso de Clasificación de Condones' incluye tales aspectos promocionales como un panfleto que incita a los estudiantes a que los prueben 'solos o con uno o más compañeros. Sé creativo. Diviértete. Disfrútalo'",[2] se dice.

¿Puede la oración hacer una diferencia en las universidades? Quienes oran encuentran que sí. "A través de la oración Dios está cambiando nuestras universidades. Nuestro grupo ora Jeremías 33:8-9: *Los limpiaré de toda su maldad con que pecaron contra mí, y perdonaré todas sus iniquidades con que contra mí pecaron y contra mí se rebelaron. Esta ciudad me será por nombre de gozo, de alabanza y de gloria entre todas las naciones de la tierra, cuando oigan todo el bien que yo les hago. Temerán y temblarán por todo el bien y toda la paz que yo les daré* para que Dios limpie nuestras universidades y las haga instituciones que le traigan renombre, gozo, alabanza y honor", dice Lydia.

El propagado uso de drogas y alcohol en los dormitorios era el problema de una universidad en particular. La gente joven que quería abstenerse estaba constantemente alrededor de quienes abusaban de las sustancias. Sin ir nunca a la administración a pedir cambios, el grupo comenzó a pedirle a Dios un cambio.

Como resultado, la universidad instituyó un dormitorio sano, donde no hay sustancias, y los estudiantes tienen la opción de vivir con otros que quieren un ambiente libre de alcohol y drogas. También oraron por una clase de sexualidad humana que promovía valores antifamiliares y usaba un texto extremadamente ofensivo. La clase fue suprimida temporalmente, luego reestructurada, además de que escogieron para dictarla a un nuevo profesor y un consejero cristiano, que años atrás había impactado a uno de los miembros del grupo de oración en otro estado.

*College Moms In Touch* (Madres Unidas Para Orar) también ha orado para que los valores e integridad piadosos sean defendidos y que la deshonestidad y las transacciones censurables no sean toleradas entre la administración y el cuerpo docente. En una universidad por la que oraron, un entrenador había estado mintiendo en cuanto a un incidente en el campus. En respuesta a sus oraciones, el presidente de la universidad reaccionó en un periódico local diciendo: "Quienes ocupan altas posiciones están en la obligación de decir la verdad".

Un grupo universitario de Illinois oró para que honestamente fuera el estandarte y que cualquier cosa hecha en la oscuridad saliera a la luz. Cuando un presidente universitario fue puesto bajo investigación por aceptar fondos cuestionables, las madres le pidieron a Dios que sacara a la luz la verdad y que si lo había hecho, fuera removido de su cargo. Antes de que cualquier información fuera expuesta por la investigación, el presidente renunció inesperadamente.

Mientras las madres hacen oraciones aparentemente imposibles por estudiantes y universidades, Dios está obrando en ambos. Aveces las respuestas incluso aparecen en blanco y negro en el periódico de la universidad.

## Orando por Necesidades Prácticas

Cuando los muchachos saben que sus madres están orando semanalmente, están más dispuestos a compartir una necesidad, e incluso a pedir oración. Y mientras oramos por asuntos prácticos como conseguir las clases que necesitan, escoger la especialización correcta o tomar la decisión precisa en cuanto al trabajo, su fe es edificada al ver que Dios es real y se involucra activamente en sus vidas.

Cuando la hija de Terry salió de casa para trasladarse a otra universidad, no pudo inscribirse en ninguna de las clases que necesitaba para graduarse. Entonces le pidió al grupo de Madres Unidas Para Orar que orara para que consiguiera las clases necesarias. El consejero de la chica le sugirió que asistiera a otras clases y viera si se ofrecían oportunidades. Ella asistió a siete clases esperando oportunidades. Dos días después llamó para agradecerle a su madre y al grupo de oración por las "puertas abiertas"; estaba registrada en todas las clases que necesitaba.

## Poniendo Acción a Nuestras Oraciones

Si tienes un hijo en la universidad o viviendo solo por primera vez, puedes considerar las siguientes formas de apoyarlo a larga distancia (Si tienes más de un hijo en la universidad, ¡cuenta con mis oraciones!)

*Comienza un grupo de oración con madres de universitarios.* Este año tres madres de universitarios de nuestra iglesia comenzaron a reunirse en mi casa para orar por nuestros cinco estudiantes. En el transcurso de una semana, otra madre se unió a nosotras, y cada semana se une una nueva, anhelando orar por su hijo o hija en la universidad. Entonces, ahora estamos intercediendo por la Universidad de Oklahoma, Universidad del Estado de Oklahoma, Universidad del Centro de Oklahoma, Universidad de Texas y el Instituto Tecnológico de Massachusetts. Te animo, ¡si tú comienzas ellas llegarán! Nosotras las madres de universitarios sabemos que no estamos en control, y queremos ver la obra de Dios en la vida de nuestros jóvenes adultos.

Si no estás segura sobre cómo empezar, pídele a Dios que te traiga otra madre de universitario. Una es todo lo que necesitas. Los hijos ni siquiera tienen que asistir a la misma universidad.

También puedes poner un anuncio en el boletín de tu iglesia y en otras iglesias locales que diga: Grupos de Madres Unidas Para Orar con Hijos Universitarios, haz una diferencia eterna en la vida de tu hijo a través de la oración. Para unirte a un grupo de madres cerca de ti llama a (tu nombre y teléfono). Todas las madres de universitarios son bienvenidas, ya sea que tu hijos asistan a una universidad secular, cristiana, pública o privada en o fuera del estado".

También puedes consultar con la coordinadora de área de Madres Unidas Para Orar, o con las escuelas secundarias cristianas en cuanto a las madres de estudiantes de último año que están por graduarse.

Encuentra un lugar central de reunión donde nadie tenga que conducir más de 15 minutos, compra el folieto de Madres Unidas Para Orar, solicita recursos universitarios, y comienza ia orar![3]

*Inscríbete al periódico de la universidad a donde asiste tu hijo.* Éste es una gran fuente de información sobre lo que está sucediendo, y por consiguiente, puede informarte sobre necesidades específicas por las cuales orar. ¡Puedes incluso ver oraciones contestadas!

*Haz una oración como regalo de cumpleaños*. En el cumpleaños de tu hijo (o hija), pasa una hora o más orando sólo por él y sus necesidades. Pídele a Dios que lo llene de su Espíritu y lo bendiga con maneras que revelan su amor. Incluye un mensaje sobre tu regalo de oración en la tarjeta que envíes.

Algunas oraciones específicas por tus hijos independientes son:

1. Que deseen agradar al Señor en cada área de su vida (1 Corintios 10:31).
2. Que la relación con Dios crezca y que busquen la voluntad de Él para sus vidas (Filipenses 1:9-10).
3. Que encuentren una iglesia y tengan compañerismo con otros creyentes (Hebreos 10:24-25).
4. Que se mantengan firmes en los valores cristianos básicos en los que han sido enseñados (Proverbios 4:1-2; Colosenses 2:8).
5. Que tengan sabiduría y discernimiento mientras escogen sus clases, trabajos y amigos (Proverbios 3:3-6; Colosenses 1:9).

Aunque los jóvenes adultos ya no están bajo nuestras alas, pueden estar seguros bajo las alas del Señor mientras oramos.

*Señor, nuestros hijos emprenden vuelo cuando salen de casa.*
*Con tu gracia les hemos dado "raíces".*
*Ahora, Señor, haz que las alas*
*de tu Espíritu Santo sean su inspiración y guía*
*mientras continúan la jornada hacia la edad adulta.*
*En cada coyuntura y decisión,*
*ya sea escoger cuál especialidad, curso o trabajo,*
*haz que ellos se vuelvan a ti y experimenten tu*
*fidelidad de primera mano.*
*En el nombre de Jesús. Amén*

*No sé por cuáles métodos raros,*
*Pero esto sé: Dios responde la oración.*
*No sé si la bendición anhelada*
*Vendrá justo en la forma que pensaba,*
*Pero dejo mi oración sólo a Él*
*de quien su voluntad es más sabia que la mía.*

ELIZA M. HICKOK

CAPÍTULO ONCE

......

# Orando por el Cónyuge de tu Hijo

*¡Pueblos esperad en él en todo tiempo!*
*¡Derramad delante de él vuestro corazón!*
*¡Dios es nuestro refugio!*
(Salmo 62:8)

ramos por esto. Lo esperamos. Estamos de acuerdo en que, en principio, por lo menos, es algo bueno.

Nosotras mismas lo hicimos y no resultó del todo mal. Pero cuando viene el tema, cuando nuestro querido hijo, o nuestra princesa decide casarse, ¿cómo reaccionamos?

Nos preguntamos, "¿proveerá él lo suficiente para ella?"

"¿Verá ella que él necesita venir a casa algunas veces solo para que podamos charlar realmente?"

"¿Pasará alguna vez navidad con nosotros?"

Y tal vez en lo más recóndito de nuestro corazón decimos: "¿Puede alguien ser realmente digno de mi hijo?"

Además de su salvación, ¿hay otra área en la que sentimos una gran necesidad de oración, y la guía y protección de Dios que en la decisión de nuestros hijos por un compañero para la vida?

Encuentro que las madres necesitan mucho ánimo en esta área. Nos preocupamos porque no empezamos a orar por sus cónyuges con suficiente anticipación (¿Quién tenía tiempo para pensar en eso cuando él o ella tenían un cólico?) Cuestionamos cómo orar cuando tenemos serias dudas acerca de la persona que han elegido (Señor, ¿es mucho pedir que este chico más bien se una a la Tropa Extrajera Francesa?). Agonizamos cuando nuestro bebé precede al matrimonio (Señor, y ahora ¿cómo oro?).

Orar por el futuro cónyuge de nuestros hijos trae consigo un sinnúmero de preocupaciones; orar para que el Señor los guíe a la persona correcta, para que su pureza sea protegida hasta el matrimonio, y para que sean guardados del cónyuge equivocado. ¿Recuerdas la historia de la "chica perversa?" Mientras he orado por la voluntad de Dios para mis hijos en cuanto al matrimonio, me ha animado saber que Dios ha estado respondiendo las oraciones de estas madres por mucho tiempo.

## Oraciones a Larga Distancia

Durante la Segunda Guerra Mundial, Bill Starr se encontraba en la naval. Después de estar por varias semanas en el mar, su nave atracó en ciudad de Panamá por dos semanas. Mientras los hombres comenzaron a programar su deberes y las horas que tenían libres, planeaban estar con mujeres.

"Pensé que era mi oportunidad de salir y convertirme en un hombre", dice Bill. "Tenía más o menos 20 años en ese tiempo y nunca había dormido con una mujer. Toda la charla en el barco giraba en torno a: "Si tú no has tenido sexo con una mujer, no eres un verdadero hombre". Entonces aquel sería mi bautismo dentro de la hombría".

Cuando llegó la libertad de Bill, ansiosamente se unió a la corriente del barco. Sin embargo, poco después de llegar a la ciudad, pasó por un callejón donde un hombre y una mujer estaban abiertamente teniendo una relación sexual. Sintió tanta repulsión por esa exhibición pública que se enfermó físicamente y de inmediato regresó directo al barco. Había sido suficiente.

En ese momento sintió que Dios había intervenido directamente permitiéndole ver eso. ¿Por qué? "Porque estaba corriendo a toda máquina en otra dirección, y sabía de las oraciones de mi madre en cuanto a esto". En cada carta ella le decía que estaba orando por él y sus cinco hermanos cada día y cuán confiada estaba de que su Señor los guardaría. Ella oraba constantemente por protección tanto física, como espiritual, y moral.

En aquel momento de su vida, Bill habría sido denominado como un "cristiano nominal", pero aquella experiencia lo convenció de la realidad del amor de Dios para él y el impacto a larga distancia producido por la oración de intercesión. "Funciona", dice, "no existe el factor distancia al orar por alguien. Estás de tal manera en la presencia de esa persona que es como si estuvieras allí hablando con ella".

Por años su madre también había orado para que el Espíritu Santo dirigiera sus hijos hacia las personas con las que Él quería que pasaran el resto de su vida, los que encajaran en el plan de Él para su futuro y propósito. "Sabemos que hay muchas personas a las que podemos amar en la vida, pero mi madre estaba convencida de que Dios había escogido a alguien para cada uno de nosotros, y nunca vaciló", dice Bill.

Antes y durante sus años de servicio, Bill salió con una chica en particular. Era una persona magnífica y llevaban una relación seria. Pero como él tenía una sutil convicción de que no era la correcta finalmente dejó de verla.

A los 23 años cuando salió del servicio militar, Bill asistió a la universidad de Wheaton. Un verano mientras hablaba en una conferencia juvenil en Wisconsin, conoció a Ruth la enfermera asignada para la conferencia. "El día que nos conocimos tuve la extraña sensación de que acababa de conocer a la persona con la que Dios quería que me casara. Nunca antes había tenido ese sentimiento".

De hecho, más tarde se enteró de que Ruth y él habían sentido simultáneamente que Dios los había preparado el uno para el otro y que había honrado las oraciones de ambas madres. Casados por 47 años hasta la muerte de Ruth, tuvieron una relación única. Como director del ministerio internacional Vida Joven, Bill pasó tres décadas viajando constantemente lejos de su familia. Ruth pudo haberse resentido por él haber estado lejos y ella tener la mayor responsabilidad en la crianza de sus cuatro hijos, pero fue de mucho apoyo para el trabajo de Bill, y leal a lo que sentían que Dios los guiaba.

"Cuando volvía a casa de un largo viaje misionero, llegaba a un remanso de paz, y no de conflicto. Era un descanso llegar a casa y encontrarla dándome ánimo y apoyándome", dice Bill. Ellos fueron un regalo de Dios el uno para el otro, y el cumplimiento evidente de las oraciones de sus madres.

## Orando por la Persona Correcta

Orar por el cónyuge correcto tiene la doble intención de pedirle a Dios que proteja a nuestros hijos de la persona equivocada. ¿Qué sucede cuando vemos una luz roja en una relación en la que nuestro hijo va en serio? ¿Qué podemos hacer cuando verdaderamente creemos que la relación no es lo mejor de Dios?

Esta es la situación en la que se encontró mi amiga Terry. Cuando su hija Susan, comenzó a salir con Jared, Terry y su esposo deseaban conocerlo. Pero mientras la relación se desarrollaba por varios meses, las luces se encendieron porque observaron que él la dominaba y la criticaba. Sintieron que Susan daba todo en la relación y él tomaba todo. Habiendo visto muchos matrimonios donde un cónyuge saca lo peor y mantiene a su compañero relegado espiritualmente, ellos se preocuparon por su hija.

Para sumar a sus dudas, Jered no estaba interesado en pasar mucho tiempo con la familia de Susan, pues al recogerla para una cita salía rápidamente y cuando trataban de conocerlo mejor, era evasivo. Al ver que la relación con él tropezó, comenzaron a orar por guía.

Después de orar y ayunar con su esposo Gil, buscando la dirección de Dios, Terry se sentó con su hija y le mencionó lo que habían notado y la razón por la que estaban preocupados. Aunque la pareja estaba a punto de comprometerse, Terry y Gil les pidieron que dejaran de verse por un tiempo para ver si el matrimonio era el paso correcto.

Aunque Susan no veía los problemas, sus padres sí. Ella respetó la sinceridad de sus sentimientos y dijo: "Si realmente esos problemas existen, yo también necesito verlos". Estaba dispuesta a retroceder y a honrar su consejo. Jared también honró la petición de separarse por un tiempo.

Terry se sintió guiada a ayunar por 21 días, pidiéndole a Dios que trabajara en cada uno de sus corazones, incluso el suyo, y les mostrara lo que Él quería. Poco después Jared llamó y preguntó si podía reunirse con ellos solos, sin Susan. "Realmente estoy interesado en Susan y no quiero perderla", explicó. "Veo algunas áreas en las que necesito cambiar. ¿Podríamos reunirnos para hablar cada semana?".

Entonces comenzaron a reunirse semanalmente con Jared. Él estaba ansioso por saber en qué áreas necesitaba trabajar y genuinamente receptivo a sus sugerencias. Ellos, como una respuesta, aprendieron acerca de su pasado y su familia. Siendo uno de cinco hermanos, había mucho que no entendía sobre las mujeres. Fue un proceso de aprendizaje para todos. "¿Me dejarán saber cuando estén de acuerdo en que vuelva a ver a Susan?", preguntó.

Gradualmente Dios trabajó en todas sus relaciones, y cuando comenzaron a verse de nuevo, incluso el hermano de Susan notó una diferencia en la forma como Jared la trataba. Un año y medio después, Jared le pidió a Susan que se casaran, con la bendición de Terry y Gil. Ahora la pareja ha comenzado un matrimonio para toda la vida del cual sacan lo mejor de cada uno, y están creciendo en Cristo.

## Comprometiéndote con la Voluntad de Dios

Cuando oramos por el futuro de nuestros hijos y por la elección de un cónyuge, como en todas las otras oraciones, es importante desear la voluntad de Dios más que la nuestra, porque esta es la clave de una oración verdadera. "La oración eficaz implica estar completamente comprometida con Dios. La oración que trae resultados es poderosa, es aquella en la cual no le sugerimos a Dios las respuestas y luego le dejamos las decisiones. Como Él es soberano debemos descansar en su soberanía, conscientes de que Él sabe qué es lo mejor", dice Evelyn Christenson.[1]

Tu hijo o el mío pueden estar llamados a una vida de soltería más que al matrimonio, y en los propósitos de Dios probablemente es mejor que sea así. Por esta razón debemos orar por su guía, y comprometernos con su voluntad en lugar de asumir que cada persona debe casarse.

Siempre podemos orar por buenos amigos y mentores, que Dios traiga gente que anime fuertemente, ame, apoye y trabaje al lado de nuestros hijos en su llamado y desarrollo espiritual. También para que la oración sea respondida con un compañero matrimonial o no. Podemos ver maravillosas personas de Dios como Amy Carmichael y Patricia St John para saber que Dios proveerá fielmente para todas sus necesidades con el fin de llevar a cabo su propósito. A través de su vida ellos pueden tener muchos, incluso cientos de hijos espirituales. Lo importante es permitir que los hijos sepan que nuestro amor por ellos es fuerte e incondicional, ya sea que estén casados o solteros.

## El Valor de un Aguijón

Cuando desde la edad temprana oramos por los cónyuges de nuestros hijos y por su pureza, nuestras oraciones no siempre son contestadas de la forma como nos gustaría. Pero Dios promete estar con nosotras.

Kathy, madre de Nicole, siempre había orado por ella. Pero cuando cursaba el segundo año en una universidad cristiana, tomó algunas malas decisiones y fue arrastrada a un estilo de vida que sabía no era correcto. Cuando quedó embarazada, el corazón de su madre fue roto. Kathy había orado para que Dios protegiera la virginidad de sus hijos y para que guiara a su hija al joven piadoso que Él había diseñado para ella, pero no sucedió así.

Durante el embarazo de Nicole, el enemigo trajo muchas acusaciones a la mente de Kathy acerca de cómo Dios no había protegido su virginidad, y cómo ellos habían fallado como padres. Kathy tuvo que descansar en la promesa de que Dios les da a nuestros hijos libre voluntad, así como se la dio a Adán y Eva, y a cada uno de nosotros.

Luego de mucha consejería, Nicole decidió tener su bebé y regresar a casa. Sus padres estaban sumamente agradecidos porque ella nunca había considerado la idea de abortar. Aún así las luchas persistieron.

Kathy y su esposo tuvieron que trabajar con su ira, para perdonar, y por verdadera reconciliación. A pesar de que los planes que tenían para su hija fueron truncados, ella sabe que Dios sigue siendo soberano, y que siempre tiene un "plan B". Como Kathy ha sido sostenida en oración por otras madres, entonces ahora puede animar y orar por otras madres desanimadas y heridas. También ora cada día por su nieto, Jacob, para que Dios le provea un padre terrenal que lo ame como si fuera su hijo, y ame a su madre como Cristo amó a la iglesia. Mientras Dios la sana, ella se agarra de un poema, que dice:

**Enséñame el valor de mi aguijón.**

Muéstrame que he subido a ti por el sendero de mi dolor.

Muéstrame que mis lágrimas han hecho mi arco iris.[2]

Dios promete estar con nosotras, ya sea que nuestros hijos se casen con alguien de nuestro agrado o no, ya sea que nuestros sueños por ellos se realicen o se frustren. Él dice: *...No temas, porque yo te redimí; te puse nombre, mío eres tú. Cuando pases por las aguas, yo estaré contigo; y si por los ríos, no te anegarán. Cuando pases por el fuego, no te quemarás ni la llama arderá en ti. Porque yo, Jehová, Dios tuyo, el Santo de Israel, soy tu Salvador ... No temas, porque yo estoy contigo* (Isaías 43:1-3, 5).

## Poniendo Acción a Nuestras Oraciones

Pocas cosas sacan tanto ese "Monstruo Maternal", o mayor tenacidad y fervor en la oración, como el tema de los "cónyuges". Considera estas guías específicas para poner nuestra esperanza en Él, y no en nuestra propia sabiduría.

*Entrégale a Dios tus expectativas*. Cuando nos aferramos de lo que deseamos y de cómo pensamos que Dios debe obrar en nuestras expectativas, terminamos ansiosas y decepcionadas. Pero cuando le entregamos los sueños y las expectativas por nuestros hijos, podemos descansar en su soberanía. Nunca debemos dejar de orar sino confiar en el tiempo de Dios para dirigir sus vidas (o darles la vuelta), en lugar de tratar de hacer que suceda en nuestro tiempo y términos. Recuerda todas las veces que Dios hace mucho más de lo que pudiéramos pedir o pensar (Efesios 3:20). Comprométete a memorizar y orar estas palabras a menudo: *Se complace Jehová... en los que esperan en su misericordia* (Salmo 147:11).

*Combina la oración con el ayuno.* Jesús nos dio el ejemplo de ayunar, no como una forma de torcerle el brazo a Dios para que nos bendiga o responda a nuestras oraciones, sino como una forma de entrar en una intimidad más profunda con Él. *Sigue las indicaciones de la Escritura.* Ella puede llevarte a orar por el futuro cónyuge de tus hijos y su relación. Considera orar los siguientes pasajes:

- Que se unan en yugo igual (2 Corintios 6:14)
- Que amen al Señor con todo su corazón, alma, mente y fuerza, y construyan su hogar y relación de acuerdo con el plan de Dios para el matrimonio (Marcos12:29-30; Efesios 5:20-25).
- Que Dios proteja su pureza, los libre del cónyuge equivocado y los guarde para el correcto, uniéndolos en su tiempo que es perfecto (2 Corintios 6:14-17).
- Que ambos crezcan hacia una madurez espiritual y desarrollen la sabiduría necesaria para criar hijos sabios y piadosos (Lucas 2:51-52).
- Que mientras vivan juntos en comunión con Cristo, su amor sea más perfecto y completo (1 Juan 4:17).

*Señor tú conoces el camino por el que*
*mis hijos deben andar;*
*guíalos en tu eterno camino.*
*En su paso por la vida, solteros o casados,*
*concede que tus deseos lleguen a ser sus deseos,*
*y que tú seas glorificado en sus vidas.*

*En el nombre de Cristo. Amén.*

*Espera resistencia,*
*pero*
*¡ora por milagros!*

CORRIE TEN BOOM

CAPÍTULO DOCE

# Las Fervientes Oraciones de una Abuela

*...trayendo a la memoria la fe no fingida que hay en ti, la cual habitó primero en tu abuela Loida y en tu madre Eunice, y estoy seguro que en ti también*
(2 Timoteo 1:5)

Florence Turnidge siempre oró para que sus nietos fueran solícitos, amables, y amaran a Dios y a la gente. Y Dios le dio la oportunidad de poner acción a sus oraciones.

Florence había ido al asilo de ancianos, cerca de su casa, a visitar al hermano Everette, un profesor de Biblia, intercesor y querido amigo, quien estaba confinado a una silla de ruedas debido a un tumor cerebral. Aunque ella oró con él y le compartió las Escrituras, él no la reconoció ni actuó como si la hubiera escuchado. De regreso a casa, estaba tan triste por su condición que oró en voz alta: "Señor, no soy buena para tratar con gente que no puede responder o hablar. Iré cada semana a visitar al hermano Everette, pero será muy difícil. Por favor ayúdame".

Justo en ese momento recordó cuánto él amaba a los niños. Tan pronto como llegó a casa llamó a su nuera Diane, y le preguntó si podía llevar a su nieta Jeniffer al asilo la próxima vez que fuera. Como ella estuvo de acuerdo, el jueves Florence caminó al asilo llevando de la mano a Jennifer de dos años, su deleite de cabello oscuro y ondulado. No sabiendo cómo reaccionaría su nieta, le explicó por el camino: "Cuando alegramos a la gente, alegramos a Jesús".

Cuando se acercaron al hermano Everette, Florence dijo: "Traje a Jennifer para que te viera. Ella está al lado de tu silla".

Cuando él miró la sonriente cara de la niña, enmarcada por largos crespos, su rostro prorrumpió en una sonrisa.

Así comenzaron muchas visitas semanales de abuela y nieta al asilo. Ahora, 10 años después, Jennifer tiene una gran compasión por las personas mayores, y Florence un próspero ministerio. Luego de la respuesta positiva de Jennifer, Florence comenzó a llevar a sus otros nietos y chicos del vecindario a visitar gente en el asilo. Actualmente lleva 25 niños cada mes, variando desde bebés hasta muchachos de 15 años.

"Cuando llevamos a los chicos a cantar, visitar y orar, es como si hubiéramos encendido las luces. Ellos simplemente hacen brillar el lugar", dice Florence. Tienen un grandioso tiempo, traen gran gozo y vida a la gente, en la clínica, y los niños se están convirtiendo en personas solícitas y compasivas.

Florence es bendecida por estar cerca de sus nietos, y obviamente hace una diferencia en sus vidas. Desafortunadamente, la mayoría de nosotras no tenemos a nuestros hijos y nietos viviendo cerca, pero aún así podemos hacer una diferencia positiva en sus vidas sin importar dónde estén. Podemos aun estar conectados en oración.

## La Línea de Emergencia de la Abuela

"En la oración no hay brecha generacional. No hay distancias, aun si tus nietos viven a una gran distancia", dice Deanna, abuela de seis nietos. El año en que ella tuvo tres nietos comenzando la escuela, tuvo que mudarse a muchas horas de distancia. Había sido muy activa con sus propios hijos y quería involucrarse con sus nietos.

Mientras oró por este deseo, pensó en su abuela, quien había sido un tremendo apoyo para su vida cuando estaba creciendo. Tuvieron una relación cercana; de hecho, en los años de secundaria, cuando Deanna no podía en realidad hablar con su mamá, compartió las cargas de su corazón con su abuela. "Muchas veces una nieta preferirá hablar con su abuela porque ella no está dando consejo. Las abuelas son más inclinadas a orar y simpatizar", dice Deanna. ¿Cómo podía ella estar en contacto y hacer por sus nietos lo que había sido hecho por ella? La respuesta no se hizo esperar: "Orando por ellos".

Orar por nuestros nietos nos concede un bono especial. Cuando los elevamos al Señor en oración, nos acercamos a ellos y también a Él. Orar por ellos nos une, fortalece nuestros lazos y les da la fuente pura que fortalece nuestra vida, nuestra relación con el Señor. Al pararte en la brecha por un nieto que no puedes ver a menudo, logras, al igual que Deanna, desarrollar una conexión de corazón a corazón. De hecho, tu relación puede hacerse más fuerte.

Comienza por comunicarle a tus nietos que estás orando por ellos. Deanna lo hace llamándolos regularmente y diciéndoles: "Estoy orando por ti. ¿Tienes alguna petición específica, algún problema por el que debo orar?" A ellos les encanta que nos interesemos lo suficiente como para preguntar y orar por ellos.

Al comienzo del año escolar, Deanna le pide a cada nieto que escriba en una página una lista de los nombres de sus profesores y amigos cercanos, y las materias que a ellos realmente les gustaban o las que no. Eso le da peticiones específicas por las cuales orar. Por ejemplo, si a ellos se les dificultan las matemáticas, ella se asegura de orar expresamente por ayuda en esa área. Esa lista va a su libreta de oración.

A sus nietos más jóvenes, les hace preguntas específicas para saber cómo orar por ellos. Para tener información sobre un profesor ella pregunta algo así como: "Sé que este es tu primer año con un profesor varón. ¿Cómo van las cosas con él?" Cuando su nieta tenía 11 años, y era constantemente molestada por un niñito en la escuela, llamado William le preguntaba cómo estaba él. "William siempre estuvo en mi diario de oración ese año", dice Deanna mientras se ríe.

Deanna dio un paso más. Conociendo la fortaleza y el respaldo de orar con otros, reunió a un grupo de abuelas que, como ella, querían mantenerse en contacto con Dios y sus nietos. Algunas abuelas se atormentan por que sus nietos son llevados por la corriente de la multitud equivocada o se revelan contra sus padres. A través de la oración las abuelas continúan proveyendo ayuda, de tipo celestial.

Estas abuelas, cuyas edades oscilan entre 50 y 80 años, hacen una libreta con una hoja para cada nieto que incluye su foto y la huella de su mano. Se reúnen cada dos semanas para elevar las necesidades de sus nietos, y agradecer a Dios por responder muchas de sus oraciones.

Pero su ministerio se extiende más allá de sus círculos familiares. Deanna anima a las otras abuelas a visitar las escuelas de sus nietos, si es posible, como lo hace ella alguna vez durante el año, y a enviar una nota de ánimo a los profesores, diciéndoles cuánto aprecian sus esfuerzos y que ellas los tienen en oración. Muchas escuelas organizan el "Día de los Abuelos", tiempo durante el cual ellos son invitados a las clases y a almorzar en la escuela, una oportunidad perfecta.

## Sólo en Caso de que Alguna Vez Dudes

Una cosa es cierta, cuando las abuelas oran: la vida de los hijos es impactada. Aun si morimos antes de ver las respuestas, nuestras oraciones no son anuladas cuando vamos al cielo. Ellas duran más que nosotras. El tiempo de oración de una abuela nunca es vano; es bien invertido en la eternidad.

Primera de Juan 5:14-15 nos dice: *Esta es la confianza que tenemos en él, que si pedimos alguna cosa conforme a su voluntad, él nos oye. Y si sabemos que él nos oye en cualquiera cosa que pidamos, sabemos que tenemos las peticiones que le hayamos hecho.* Eso no significa que siempre veremos el fruto de nuestras oraciones, pero sí que Dios toma nuestras peticiones y trabaja en ellas a su manera y en su tiempo.

Dennis Jernigan puede testificar de esto. En la introducción a su canción "Anhelo el Día", él cuenta cómo las oraciones de su abuela tuvieron gran influencia en su vida, aunque fueron contestadas años después de su muerte. Cuando él era un pequeño niño, su abuela siempre le habló acerca de la persona del Espíritu Santo y le dijo palabras que el Señor había compartido con ella. Dennis no siempre entendió lo que le decía, pero ella impartió un sentido de lo eternal que penetró en él. Cuando sólo tenía 12 años su abuela murió, pero su influencia no.

Como adulto, Dennis llegó a estar involucrado en un estilo de vida homosexual antes de volver a comprometer su vida con Cristo a los 20 años. Luego aplicó sus dones musicales como pianista y escritor de canciones para servir al Señor. A los 29 años llevó su grupo de alabanza a su pueblo con el fin de dirigir un servicio de alabanza para la comunidad.

Después del servicio, la compañera de oración de su abuela vino y le dijo: "¿No es maravilloso cómo las oraciones de tu abuela fueron contestadas?"

Con perplejidad y gozo, Dennis preguntó: "¿Cuáles oraciones?"

"¿No sabías?", respondió ella. "Tu abuela solía decirme cómo ella se paraba detrás de ti mientras practicabas el piano en su casa cada día, y le pedía a Dios que te usara poderosamente en su reino como director de música y alabanza. ¡Y Él respondió sus oraciones!"[1]

Ahora Dennis viaja por todos los Estados Unidos y el mundo dirigiendo gente de todas las edades, denominaciones y naciones a la alabanza. Mientras él lo hace, los efectos de las oraciones de su abuela no sólo tocan su vida sino las de miles.

## Cuando Nosotras no Podemos, Dios Puede

¿Qué cuando tus nietos tienen problemas? Cuando están heridos, tienen necesidades insatisfechas, o enfrentan problemas difíciles en sus vidas, a lo mejor no seamos capaces de solucionarlos, pero podemos llevarlos al Dios que sí puede.

Jason el nieto de Catherine, siempre quiso ser un médico, pero justo antes de ir a la universidad, su padre tuvo una lesión seria en la espalda y no puedo volver a trabajar. Jason sabía que sus padres no podrían proveerle el dinero necesario para la universidad.

Su ardiente deseo de ser un médico y sus habilidades e inteligencia para tener éxito rompieron el corazón de Catherine, pero aún así no había dinero. Ella derramó su corazón en oración: "Oh, Dios, ¿cómo puedo ayudar? No estoy en condiciones de pagarle la universidad. Puedo darle una cantidad muy pequeña, pero no lo suficiente para sostenerlo".

Jason asistió a la universidad realizando muchos trabajos. Se desempeñó como portero y aseador en el hospital, y como ayudante en un asilo para ancianos. También trabajó como técnico en la sala de emergencia, deseando aprender de todo. Aunque Jason obtuvo excelentes calificaciones, le tocó abandonar la universidad por un año con el fin de conseguir suficiente dinero para el próximo. Le tomó seis años completar los primeros cuatro, pero nunca se quejó o le pidió dinero a su familia. Mientras perseveró en sus estudios premédicos, su abuela perseveró en oración por él, algunas veces incluso quejándose ante Dios por su insuficiencia. "¿Qué puedo hacer? Tenemos 13 nietos más. Dios, tendrás que ayudar a Jason; yo no puedo".

Cuando Jason terminó sus estudios premédicos, había hecho muchos amigos en el campo de la medicina. Médicos que le habían permitido entrar a la sala de cirugía, observaron su duro trabajo y su compasión por los pacientes. Cuando fue aceptado en la Escuela de Medicina de Stanford, iba tan bien recomendado por médicos y cirujanos que le otorgaron becas para toda la carrera.

Cuando las buenas noticias llegaron, Catherine recordó Juan 14:1: *No se turbe vuestro corazón; creéis en Dios, creed también en mí.* Dios había estado preparando a Jason desde el principio, escuchando y contestando las oraciones de una abuela.

## Cubriendo a tu Nietecito con Oración

A Maggie le había encantado ser madre y esperaba con anhelo ser abuela algún día. Desde el tiempo cuando sus hijos eran bebés había orado por ellos. Su hijo David siempre había estado cerca de la familia y tenía planes de ir al seminario, pero cuando se enamoró de una joven, esos planes y las responsabilidades familiares se desviaron. Ella tenía un estilo de vida diferente y no quería tener nada que ver con la familia de David, es decir, hermanas, padres o abuelos. Cuando Maggie vio que su hijo era llevado más y más lejos, la tensión aumentó entre ellos.

Finalmente, la esposa de David lo hizo escoger entre ella y su familia, y al igual que un hijo pródigo, se fue. Por más de tres años Maggie fue excluida de su vida. David pasó meses sin hablar con sus padres. El corazón de Maggie estaba roto por la pérdida de su hijo. ¿Qué si tienen un bebé? ¿Qué si nunca pudiera ver a sus nietos?

"Algunas veces no podía ni si quiera orar. Estaba como muerta", dice. Pero seguía pidiéndole a Dios que la limpiara del resentimiento o de cualquier actitud negativa y le mostrara cómo orar por su hijo y su nuera. Un día mientras le estaba diciendo al Señor cuánto extrañaba a su hijo, Él le dio la impresión de que David y su esposa iban a tener un bebé. Maggie lo escribió en su diario y comenzó a orar por su primer nieto.

Por años había tejido "mantas de oración" para los nuevos bebés en su iglesia, pero ¿debería hacer una para este nieto que tal vez nunca vería y que a lo mejor no era una realidad? Pero Dios la instó a que de todas maneras comenzara una. Efectivamente, en poco tiempo su hijo la llamó para decirle que estaban esperando un bebé. Considerando la fecha del nacimiento, más tarde calculó que probablemente el bebé había sido concebido el día que Dios le habló. Mientras Maggie tejió la "manta de oración", continuó orando por su nieto. Al terminarla se la envió a su nuera como un regalo previo al nacimiento, junto con la siguiente carta:

Mi precioso:

Para celebrar tu llegada te he hecho este regalo especial, llamado una "manta de oración". Sé que cuando estés cubierto con ella, estarás cubierto en oración. Cada pequeña puntada representa una oración hecha a favor de ti. Las siguientes son mis 10 oraciones a tu favor:

1. Como una madeja de hilo se convierte en una linda manta, Dios tiene un hermoso plan para ti, y yo oro para que tú lo descubras (Jeremías 1:5).

2. Esta manta está hecha por manos humanas. Pero tú eres formidable; maravillosamente hecho por manos divinas. Yo oro para que sepas cuán especial eres para Dios (Salmo 139:14).

3. Si pierdo una puntada, la manta se deshilará. Dios tiene planes maravillosos para cada paso de tu vida. Pido en oración que lo mires a Él para conocer sus planes y sé que incluso cuando nosotros como familia perdemos una puntada, o cometemos errores, Dios puede arreglarlos a medida que confiamos en Él (Proverbios 28:13).

4. Si regreso y corrijo una puntada, la manta será perfecta. Si tú regresas y confiesas tus pecados, tu vida será perfecta. Oro para que tengas el valor de confesar la maldad para que puedas vivir una vida santa (1 Juan 1:9).

5. Esta manta tiene muchas puntadas, pero no son nada comparadas con los muchos pensamientos que Dios tiene para ti. Yo oro para que pienses acerca de Dios y sepas cómo piensa Él acerca de ti (Salmo 139:17).

6. Entretejí tres hebras con el fin de hacer un hilo fuerte para esta manta. Tomará tres partes (tú, tu familia y Dios) construir una vida fuerte. Y tomará tres partes divinas para mantenerlas juntas. Oro para que dependas de Dios y de tu familia (Eclesiastes 4:12).

7. El borde protege la manta para que no se deforme. Dios quiere poner un borde alrededor de tu vida para guardarte del mal. Oro para que te mantengas entre los bordes que Dios te ponga (Job 1:10).

8. Mi esperanza con esta manta de oración es que te mantenga abrigado y seguro. ¡Cuánto más es el plan de Dios! Él quiere darte un futuro y esperanza. Oro para que siempre pongas tu esperanza en Dios (Jeremías 29:11).

9. Sé que cuando estés cubierto con esta manta, estarás cubierto de oración y amor. Dios también quiere cubrirte con el amor de su Hijo. Oro para que llegues a amar a Jesús a una edad temprana (Juan 14:21).

10. A pesar de que crecerás más que esta manta, oro para que tu necesidad de Dios nunca sea pequeña (1 Juan 4:15-17).

*Con amor, tu abuela*

Desde el nacimiento del bebé la situación ha empezado a cambiar entre Maggie, su hijo y su nuera; la sanidad está llegando gradualmente. David ahora llama con más frecuencia y recientemente invitó a su padre para que pasara un fin de semana con él fuera da la ciudad. Maggie pudo ver a su nieto, y cuando lo alzó por primera vez, sus primeras palabras para él fueron: “Jesús te ama”.

Maggie confía en que Dios continuará lo que ha comenzado.

## Poniendo Acción a Nuestras Oraciones

Así tú vivas en la puerta siguiente o estés a cientos de kilómetros de tus nietos, puedes orar por ellos. He aquí algunos recordatorios acerca de cómo puedes bendecirlos e influenciar sus vidas para Cristo.

*Escribe una carta y un versículo de oración.* Para hacerle saber a sus nietos de edades escolares que estaba orando por ellos, una abuela escribe el versículo que está orando esa semana en una tarjeta, en blanco, y luego la incluye en una carta para ellos.

Pequeños recordatorios de que estás orando pueden significar mucho para un niño. Cuando Jay, un joven con síndrome de Down y problemas de corazón, estaba enfermo, su abuela le envió una pequeña tarjeta. En ella estaba la foto de un ángel y el versículo 11 del salmo 91: *pues a sus ángeles mandará acerca de ti, que te guarden en todos tus caminos.* Ella la firmó al respaldo así: "Con amor y oración, Abuela". Meses después Jay aún la pone bajo la almohada cada noche y la para en su mesa de noche cada día, como un recordatorio tangible del amor de su abuela y la protección de Dios.

*Comienza un grupo de abuelas en contacto.* ¿Cómo puedes encontrar otras abuelas para orar cada semana? En primer lugar ora. Pídele a Dios que te ponga en contacto con otra abuela. También, pastores y directoras de ministerios femeninos pueden señalarte otras abuelas, en sus iglesias, que tienen un corazón para orar. Compra el libro de Madres Unidas Para Orar, solicita los recursos y la guía para líderes de todos los materiales que necesitas para las reuniones.

Anima a cada abuela a que haga una sencilla libreta de oración, con una o dos páginas para cada nieto. Incluyendo información acerca de ellos como: la escuela a la que asisten, las materias que están estudiando, los nombres de sus profesores, y las huellas de su mano y/o fotos. Las peticiones y respuestas de oración pueden ser escritas en la siguiente página. Usar las libretas en las reuniones puede ayudarte a mantener el enfoque, y llevar notas de las respuestas a tus oraciones, creará una historia de oraciones en tu familia.

*Hazle saber a tus nietos que estás orando por ellos.* Si tienes un computador y modem, el correo electrónico es una grandiosa forma de compartir tus peticiones de oración. Preguntar por sus peticiones de oración y luego escuchar cómo Dios trabaja en sus vidas, mantiene el corazón de ellos y el tuyo conectados. Así seas una abuela, tía o bisabuela, mantenerte en contacto a través de la oración hará una tremenda diferencia, tanto ahora como en los años venideros.

*Señor, no ocultaré tu bondad*
*de mis hijos o mis nietos,*
*pero tu gracia le compartirá a la generación venidera*
*las alabanzas del Señor. Ayúdame a compartir con ellos*
*tu fortaleza y las admirables obras que Tú has hecho.*

*En el nombre de Jesús. Amén.*

ADAPTADO DEL SALMO 78:4-7

*La oración ha dividido mares,*
*hecho que de rocas brotaran fuentes,*
*extinguido llamas de fuego, puesto bozal a leones,*
*apaciguado víboras y ponzoñas,*
*ordenado las estrellas contra el malo,*
*detenido el curso de la luna,*
*detenido al rápido sol en su veloz carrera,*
*abierto violentamente puertas de hierro,*
*vencido los más fuertes espíritus malignos,*
*ordenado legiones de ángeles bajar del cielo.*
*La oración ha frenado y cambiado las furiosas pasiones del hombre,*
*derrotado y destruido vastos ejércitos de orgullo, y retado ateos.*
*La oración ha sacado a un hombre del fondo del mar,*
*y llevado a otro en un carruaje de fuego al cielo;*
*¡qué no ha hecho la oración!*

ANÓNIMO

CAPÍTULO TRECE

......

# Una Cadena de Amor: Orando Unidas

*De manera que si un miembro padece,*
*todos los miembros se duelen con él,*
*y si un miembro recibe honra,*
*todos los miembros con él se gozan*
(1 Corintios 12:26)

Hemos visto qué pasa cuando una madre ora por su hijos y qué sucede cuando un grupo de mujeres ora en común acuerdo. Veamos otro nivel de la oración durante el cual muchas personas en diferentes lugares se unen en oración por la misma necesidad. Es maravilloso orar con tu cónyuge, compañera de oración o grupo de madres por algunas situaciones, pero hay momentos cuando necesitamos más apoyo. De hecho, hay algunas circunstancias tan críticas que necesitas un ejército de intercesores, una completa "unidad de cuidados intensivos" orando. Como E. M. Bounds dice: "Hay un efecto acumulativo en la oración. El enfoque de muchas oraciones en una vida o situación puede cambiar la derrota en victoria".

Deidre, una madre de Nueva Zelanda, experimentó uno de esos momentos el año pasado cuando su hijo de seis años, Mateo, se enfermó gravemente de meningitis meningocócica. Tan pronto escuchó el diagnóstico del médico, Deidre llamó a Ian, su esposo, con el fin de que se les uniera y llamara a su líder de grupo para que pidiera oración. Inmediatamente el líder llamó a otros de la iglesia para que oraran por Mateo. En esta etapa él estaba inquieto, delirante e indiferente ante su madre y las enfermeras. Como las manchas oscuras en su cuerpo indicaban que estaba en la etapa avanzada de meningitis, el médico ordenó una ambulancia y una unidad de resucitación en caso de que el niño sufriera una crisis camino al hospital. El médico tenía razón para alarmarse, pues dos niños del área habían muerto recientemente por esa misma enfermedad.

Tan pronto como Deidre y Mateo llegaron al hospital, una mujer se le acercó a ella, diciendo: "Sé que este es un terrible momento para usted, pero soy de TV-3, y estamos haciendo un documental acerca del hospital infantil. ¿Nos permitiría filmar lo que sucede y el progreso de su hijo?"

Despreocupada de cualquier otra cosa menos de la salud de su hijo, Deidre indicó con la cabeza que sí, y cruzó rápido las puertas de la sala de emergencia. Inmediatamente fueron conducidos a la sala aislada de cuidados intensivos.

En ese momento una red de personas estaba orando intensamente por Mateo, el grupo de Madres Unidas Para Orar de Deidre, gente de otras iglesias y la cadena de oración de su abuela.

Michelle, la enfermera de la UCI en su caso, les informó a Ian y a Deidre qué esperar. La cara, piernas y brazos de Mateo se hincharían; muy posiblemente lo pondrían en un respirador; las manchas aumentarían de tamaño y se volverían negras. Durante las siguientes dos horas Michelle estuvo en la habitación, mirando constantemente el progreso de Mateo, el cual era controlado por una cantidad de monitores. Les esperaba una larga y crítica noche.

A pesar de estar sedado, en un momento de la noche Mateo se puso tan agitado que luchó con la enfermera quien trataba de que usara la bacinilla. Entonces su madre lo sentó en sus rodillas para mecerlo. "Al entrar la enfermera de nuevo para ver cómo iban las cosas la miró con ojos muy grandes y de terror. Me dolió en lo más profundo ver su terror", dice Deidre. "Fue allí cuando no pude más, y sólo me senté meciéndolo, mientras las lágrimas corrían por mi rostro. Era muy difícil orar. Todo lo que podía hacer era llorar y decir: 'Dios ayúdame'".

En la mañana Mateo estaba menos tenso. Poco a poco pudieron ver el progreso mientras sus signos vitales comenzaron a estabilizarse. Cuando Michelle regresó a trabajar leyó su historia, lo examinó y dijo: "Bueno, Mateo, debes haber tenido un ángel mirándote".

Mateo no experimentó ninguna de las hinchazones típicas. No tuvo el severo dolor de cabeza que los médicos habían predicho, y las manchas en su cuerpo empezaron a desaparecer lentamente. Luego de estar en la UCI por 24 horas, fue transferido a un pabellón de aislamiento donde estuvo por siete días, aún muy enfermito.

"Yo estaba bien consciente de que muchos estaban orando; sentía como si otros estuvieran literalmente cargándome en sus oraciones. Todo el tiempo sentí que Dios estaba en control", dice Deidre. Aun el hecho de tener a la multitud de la televisión filmándolos obró para su bien porque recibió mayor atención médica.

Pero la gran preocupación de los médicos era cómo la meningitis lo afectaría a largo plazo, ya que ésta puede dejar a un niño sordo o mentalmente discapacitado. Cuando las manchas se hacen negras y cortan la circulación, los efectos posteriores pueden ser perder dedos de la mano o de los pies, la nariz o incluso las orejas. Aún así Mateo no tuvo efectos a largo plazo por la enfermedad. Él ya estaba curado, pero Dios aún no había terminado.

La historia sobre la recuperación de Mateo fue usada en un documental que transmitieron por la televisión nacional a través de Nueva Zelanda. Su abuela, que no era cristiana, y estaba verdaderamente asombrada por su sanidad, se acercó a Dios. El esposo de Deidre, Ian, que nunca había sido cristiano ni asistía a la iglesia, fue tan tocado por el despliegue de amor y oración por su hijo, las comidas que llevaron diariamente, y las muchas formas como la gente ministró a su familia, que dijo que él sencillamente tenía que ir a la iglesia para "agradecer a la gente por sus oraciones".

Durante las siguientes semanas el pastor desarrolló una relación con Ian quien comenzó a asistir a la iglesia más a menudo. Un día asistió a un servicio especialmente ofrecido para personas que van a la iglesia esporádicamente y se sintió tocado por Dios. Muy pronto, después de un servicio, fue al pastor y se comprometió con Cristo.

"Ian vio a Jesús en las personas de la iglesia. Vio a Dios moverse y trabajar poderosamente a través de la oración. No podía alejarse de Él más", dice Deidre. A través de la enfermedad de Mateo, Dios lo llevó a una relación correcta con Él. "Ian aún es un bebé en Cristo", dice Deidre, "y ocasionalmente da un par de pasos hacia atrás, al igual que todos nosotros, pero está en el camino correcto. Gloria a Dios".

Como R.A. Torrey, dice: "Cuán real se vuelve Dios cuando le pedimos algo específico y lo da. ¡Está justo allí! Es una bendición tener un Dios que es real y no sencillamente una idea... El gozo de la sanidad no es tan grande como el gozo de conocer a Dios".[1]

## Compartiendo tu Necesidad Especial

Algunas veces no recibimos el apoyo en oración como la familia de Deidre porque los demás desconocen el problema o la crisis que estamos experimentando. Algunas de nosotras encontramos difícil pedirle oración a otros, pensando que la petición puede ser una carga. Aún así Santiago 5:16 nos anima a *orad unos por otros...* Dios sabía que necesitaríamos el apoyo de otros en oración. "Hay una dinámica espiritual escrita en la Biblia: que cuando dos o más personas prevalecen juntas en fe, orando en el espíritu, su poder de oración no sólo está unido, sino que parece multiplicado".[2]

Una madre salió con una simple e ingeniosa manera de recordarle a la gente que orara por su necesidad. Cuando la hija menor de Marilyn nació con síndrome de Down y un par de meses después tuvo que ser sometida a una cirugía de corazón abierto, para corregir un defecto de nacimiento, Marilyn quería una forma de recordarle a la gente que orara por su hija. Entonces hizo separadores para libros con la foto del hospital donde estaba la bebé y una petición específica de oración en la parte inferior. Luego de laminar los separadores, Marilyn y su esposo se los entregaron a sus familiares, amigos y miembros del círculo casero de compañerismo, y miembros de la iglesia que preguntan qué podían hacer. Ahora ellos tenían un constante recordatorio sobre cómo podían ayudar.

Luego de que la crisis inicial pasa, los padres de un niño con una necesidad especial a menudo se sienten solos y sin apoyo. Pero no fue el caso de Marilyn, ya que debido a su idea se creó una completa red de apoyo progresivo en oración. La gente guardó el separador de oración en sus Biblias o libros devocionales para recordar orar por la bebé durante los meses de recuperación después de la cirugía. La familia de Marilyn sintió el impacto de las oraciones, mientras experimentaba de manera real lo que significaba estar cubierta y sostenida por la gracia de Dios en medio de tantas dificultades.

En nuestra era de comunicaciones instantáneas, se puede crear casi de inmediato una amplia red de apoyo en oración. Cuando Jay, el hijo de mi amiga Luise, se enfermó y no podía respirar profundo o aun caminar por el pasillo hacia el consultorio del médico, con toda razón ella estaba preocupada. Como Jay padecía una enfermedad cardíaca congénita y progresiva, cualquier infección era seria. Tan pronto como el médico dijo que podría ser neumonía, Loise llamó a su amiga Pámela a su teléfono celular, y ésta llamó a la secretaria de la iglesia, quien inmediatamente envió la petición al salón de oración notificando a los 12 pastores por correo electrónico, además de guardarla en la página web de la iglesia. Pámela y otra amiga llamaron al grupo de ministerios especiales del cual formaba parte Louise. En menos de 30 minutos más de 24 personas estaban intercediendo por Jay.

Dentro de esos 30 minutos su condición cambió dramáticamente; fue como ver el desarrollo de un milagro. Su color cambió de extremadamente pálido a normal. Se evitó un viaje al hospital e incluso el médico observó: "¡Te ves diferente al niño que entró hace un rato!" ¡La oración unida hace la diferencia!

Nuestro sentido de privacidad o de independencia y autosuficiencia no debería nunca impedirnos o incluso hacernos vacilar sobre llamar el armado ejército de Dios. Así estemos arreglándonolas en una emergencia o peleando en una batalla actual, pues Dios nunca pretendió que lucháramos solos. No sólo recibimos bendiciones a través de las oraciones de otros, también permitimos que Dios los bendiga por ser parte del equipo terrenal destinado para esta misión.

## Reanimando al Cuerpo

Me encanta la manera en que El Mensaje, una versión de la Biblia en inglés, habla acerca de la forma cómo Dios creó nuestros cuerpos, y el modelo para entender que, al igual que su iglesia, nuestras vidas son parte y fragmento de cada uno, dependiendo cada parte de otras. "Si una parte padece, todas las otras están involucradas en el dolor y en la sanidad" (1 Corintios 12:26). Quizá esa sanidad viene de la compasión de Jesús, multiplicado por el número de personas que se identifican con el sufrimiento de la persona e interceden por ella, lo cual libera el poder y el amor de Dios.

Ese poder y amor conforman un salvavidas lanzado a una persona que se está ahogando. Judith Pitman, una madre británica, experimentó esto cuando su hija adolescente, Annabel, tenía una enfermedad no diagnosticada que le produjo un dolor constante por más de dos meses. Debido a que los calmantes no eran muy efectivos, Annabel no podía estar acostada, sentada ni parada, y mucho menos dormir. Cada noche semiacostada y semisentada sobre su mamá, las dos dormitaban entre los severos ataques de dolor de la niña.

En poco tiempo madre e hija estaban física y espiritualmente exhaustas. Debido a que los profesores y compañeros no mostraban interés por su ausencia a la escuela, Annabel también se sintió rechazada y desanimada. Pero el grupo de Madres Unidas Para Orar de Judith, y otras amigas cristianas escribieron notas, enviaron regalos e hicieron visitas regulares, restaurando su confianza. Judith y Annabel también experimentaron intensos momentos de gozo mientras sentían las oraciones de estas amigas cristianas. "Sabíamos cuándo las madres estaban orando", dice Judith, "porque durante el día nos envolvía un profundo sentido del amor y consuelo de Dios. Cada día alguien preguntaba cómo estaba Annabel y si teníamos alguna petición para orar. Gracias a la oración específica a su favor, encontramos un médico que inmediatamente diagnosticó la enfermedad como un virus en su médula espinal".

Han pasado 18 meses desde el comienzo de su enfermedad. Aún se está recuperando, y siguen viendo maravillosas respuestas a las oraciones. Cuando Annabel tuvo que repetir el tercer año de secundaria, fue ubicada en una clase con compañeros y profesores interesados y compasivos. Desde entonces ha progresado y está sacando buenas notas.

Judith dice: "Al mirar atrás, no sé cómo habría podido salir adelante sin mi 'línea de oración'. Nosotras oramos con la confianza y la seguridad de saber que somos verdaderas hermanas en el Señor".

## Poder Multiplicado

¿Qué sucede cuando una red de apoyo en oración se extiende aun más lejos? ¿Qué hace Dios en la vida de la gente que recibe el apoyo de oración, y en la vida de quienes están orando? Cuando el Cuerpo de Cristo se une con un enfoque central, cuando grupos de madres, congregaciones, cadenas de oración e individuos claman a Dios con una oración común, Él parece ser glorificado de maneras especiales, y su poder se manifiesta más tanto en los creyentes como en los incrédulos.

"Cuando Mucha gente se une en oración, el poder espiritual es multiplicado", dice Wesley Duewel. "Cuando oran juntos, la oración de cada uno ayuda a profundizar el anhelo por la respuesta de Dios, y ayuda a avivar el fuego de la actitud de oración. La fe en la respuesta del Señor es fortalecida, y aquellos que se unen en oración comienzan a sentir el poder de Dios de una nueva manera".[3] Al mismo tiempo se forma una red de amor que rodea a la persona en crisis, y su familia, tocando profundamente cada una de sus vidas.

Cuando una enfermedad amenazó la vida de una estudiante universitaria en Beeville, Texas, ella y su familia no batallaron solos; toda una ciudad, su campus universitario, iglesias en Abilene, cristianos en Dallas donde estaba hospitalizada, y cientos de personas que nunca habían conocido se dolieron con ella y se unieron en oración. Como resultado muchas vidas cambiaron. Gente que por años no había asistido a la iglesia, regresó y renovó su relación con Dios, y la vida de Cámeron y su madre fueron fuertemente tocadas.

Al final de su segundo año en la universidad, Cámeron fue al hospital para que le extirparan un tumor de la tiroides el cual sería sometido a una biopsia. "Es un procedimiento simple", habían dicho los médicos, quienes esperaban que estuviera en el hospital máximo dos días. Sin embargo, cuando se encontró que el tumor era maligno, la llevaron de nuevo a sala de cirugía para extraer toda la glándula tiroidea, con el fin de estar seguros de que no se esparciera. El diagnóstico fue nefasto, cáncer folicular maligno, pero los médicos le aseguraron a los padres que ya se habían encargado de eso.

Luego su cuello de aumentó dos veces el tamaño normal, mientras el aire se salía de la tráquea. La hinchazón le cortó la respiración y fue llevada a cirugía de emergencia.

Después, su presión sanguínea descendió severamente al presentarse un síndrome de shock tóxico, que le causaba alucinaciones. De nuevo en la sala de emergencia los médicos estaban conmocionados porque encontraron en su cuello una bacteria mortal, del tamaño de una moneda, que se come la carne. Luego de sacarla, se le administró un poderoso antibiótico. Para entonces la bacteria había comido a través de tres anillos de su tráquea, y como resultado

Cámeron no podía recibir suficiente aire. Ahora estaba de nuevo en cirugía para una traqueotomía de emergencia.

Mientras un equipo de 20 especialistas fue llamado para consultar su caso, el Espíritu Santo dirigía una orquesta de oración. Muchas de las 25 mil personas en su pueblo y 18 iglesias diferentes estaban intercediendo. Ellos también la incluyeron en sus cadenas de oración y en sus boletines dominicales cada semana. Llegaron cientos de tarjetas con versículos. Uno de los profesores de la Universidad Cristiana de Abilene, no sólo llamó a todo el campus, también a 25 congregaciones más en la ciudad para que oraran por Cámeron. Durante seis semanas y media su vida se mantuvo en vilo mientras soportó 17 cirugías y 43 procedimientos quirúrgicos. "Era como estar en el ojo del huracán", dice su madre Gayle. "Lloré todo el tiempo que estuvo en cirugía". Cámeron perdió 30 libras y casi todo su cabello. Todas sus venas colapsaron, y tuvieron que insertarle en el cuello una manguera central. Desarrolló neumonía y un pulmón colapsó, y como si fuera poco sufrió ataques debido a un medicamento que le suministraron. La bacteria que comía la carne se dispersó hasta el saco del corazón y los pulmones. Luego hubo que hacerle una delicada cirugía experimental para insertar una lengüeta en el cuello ya que el agujero en la tráquea no estaba sanando.

Una noche Cámeron sintió que moría ahogada en su propia sangre. En este momento crítico, los miembros de la iglesia en Beeville estaban en el parqueadero, saliendo del servicio de la noche. De repente, alguien escuchó que Cámeron iba a tener otra cirugía de emergencia. Todos volvieron a la iglesia y oraron acordemente por sanidad. Los médicos pudieron detener la hemorragia esa noche, pero se desarrollaron más complicaciones. Su iglesia, comunidad y familia, continuaron orando por ella, de hecho, entre más mal se ponía, más gente oía sobre su condición y oraba, incluyendo muchos desconocidos.

Durante varios días, 40 ó 50 personas de iglesias de Dallas que habían oído de Cámeron estaban en la sala de espera, orando por ella durante la cirugía. Cuando un médico salió de la sala de operaciones para informarle a sus padres sobre su estado, vio la multitud y dijo: "¡No sabía que tendría que hablarle a una congregación!"

A pesar de que Cámeron y su familia nunca sabrán cuántas oraciones fueron puestas delante de Dios a su favor, ella puede contar las más de 2.000 cartas que recibió, muchas de personas que ni siquiera sabía que estaban orando. Una de una amiga de su mamá, a cientos de millas, dice: "Todos los días elevo tu nombre a Dios. ¿Crees que alguna vez Él dice: 'Aquí viene otra oración por Cámeron Manskur' y sonríe? ¡Apuesto a que sí!"

Desafiando todas las expectativas médicas, sobrevivió a esta pesadilla, pero otro cáncer causó alarma al año siguiente. ¿Cómo ve ella su aterrorizante experiencia? No tiene amargura para preguntar: "¿Por qué me sucedió esto a mí?" Por el contrario, escribió en su diario en medio de la batalla: "Todos debemos orar a Dios tanto como podamos, porque Él responderá. He puesto toda mi fe en que me sanará y que puede resistir el mal o cualquier cosa que trata de dominar. Dios, contigo venceré esto. Lo prometo".

Ahora, de regreso a la universidad, ella es más fuerte en su fe, y está absolutamente segura del poder de la oración.

## Poniendo Acción a Nuestras Oraciones

Considera las siguientes ideas sobre cómo desarrollar redes de oración.

*Comienza una cadena de oración*. Si tu iglesia no tiene una cadena de oración activa, comienza una. Luego en caso de emergencias y severa enfermedad, una red de intercesores con interés, puede ser movilizada para orar. Una cadena como esta, llamada "Banda de Oración", ha comenzado en Virginia. Ruth, la líder, hace siete llamadas de larga distancia y cuatro locales. Dentro de aproximadamente 10 minutos, 300 intercesores en 36 iglesias están orando a través del área de Tidewater, Washington, D.C., y Carolina del Norte.

Ya sea un ataque cardíaco, un adolescente escapado, o un niño mordido por una cascabel, la cadena cubre la situación en oración unida. Se están viendo respuestas maravillosas mientras Dios interviene con sanidad y salvación. Algunas de las iglesias se unen poniendo las necesidades de oración en sus boletines dominicales. "Tratamos de inculcarle a la gente que es para emergencias, y pedimos un líder voluntario de oración en cada iglesia", dice Ruth. Puedes desarrollar tu propio material, con el tipo de peticiones que deben ser puestas en la cadena de oración.

En caso de una emergencia, puedes servir como contacto para los miembros de la familia, e indagar diariamente por necesidades y llamar a quienes interceden fielmente para darles tus peticiones de oración.

*Recuerda que Dios no está limitado por el tamaño de nuestro ejército*. Necesitamos tener un entendimiento balanceado en cuanto a la oración. A pesar de que en momentos como los descritos anteriormente se necesitan muchos intercesores, la intervención de Dios en una situación no está limitada por los recursos o depende de nuestros números. Mira lo que hizo con David, el niño pastor quien sin ayuda y armado sólo con una honda se enfrentó a Goliat. Mira cómo los madianitas fueron vencidos por el pequeño ejército de Gedeón bajo la dirección de Dios (Lee Jueces 7 para que conozcas la inspiradora historia).

Ya sea que estemos solas, con una amiga o que seamos un grupo de madres, o parte de un gran esfuerzo de oración, lo que importa es buscar a Dios. Y Él, el Dios de toda esperanza, nos oirá y actuará.

*Señor, concede que cuando otros en mi iglesia,*
*vecindario, o círculo de amigos*
*sufran, llenes de compasión mi corazón,*
*y tu amor me motive a interceder fielmente por ellos.*
*Hazme parte de tu red de amor en la tierra.*

*En tu nombre. Amén*

## Para Nuestros Hijos

*Padre, escúchanos, estamos orando,*
*escucha las palabras de nuestro corazón diciendo,*
*estamos orando por nuestros hijos.*

*Guárdalos de los poderes del mal,*
*del peligro secreto y escondido,*
*del remolino que los atrapa,*
*de la traicionera arena movediza sácalos.*

*De la falsa alegría mundana,*
*del tormento de la tristeza incrédula,*
*Santo Padre, salva a nuestros hijos*

*Guíalos a través de las aguas agitadas de la vida,*
*anímalos a través de la amarga batalla de la vida.*
*Padre, Padre, sé tú cerca de ellos.*

*Lee el lenguaje de nuestro anhelo,*
*lee el cúmulo de plegarias sin palabras,*
*Santo Padre, por nuestros hijos.*

*Y dondequiera ellos estén,*
*guíalos a casa al anochecer.*

Amy Carmichael

CAPÍTULO CATORCE

......

# Oraciones que Van Alrededor del Mundo

*¿Quién puede decir algo diferente, sino que Dios te ha traído a este lugar para un tiempo como este?*

(ESTER 4:14, La Biblia Viviente, versión en inglés)

Una cosa he descubierto en el proceso de entrevistar mujeres de todo el mundo, y es que sin importar nuestras diferentes razas, religiones y nacionalidades, el corazón de las madres es igual: palpita por nuestros hijos. Así como las madres cristianas en los Estados Unidos están preocupadas por currículos seculares, las madres cristianas en un país musulmán lloran porque a sus hijos se les enseña el islam en la escuela. Madres en Suiza y en Nueva Zelanda se preocupan por la influencia de la Nueva Era en los textos escolares de sus hijos, así como las madres en los Estados Unidos. Madres en Tanzania y Brasil están preocupadas por las drogas y el alcohol, al igual que nosotras. Madres en todo el mundo están preocupadas por la seguridad de sus hijos.

En todas partes, el corazón de las madres se rompe cuando los adolescentes pródigos aman más al mundo que los caminos de Dios, cuando se involucran en malas relaciones o toman decisiones equivocadas, cuando están solos y no tienen amigos. Todas anhelamos el bienestar espiritual, emocional y físico de nuestros hijos; queremos que amen al Señor con toda su mente y corazón. Las madres desean que sus hijos vayan bien en los estudios; pues para muchos es la única forma de escapar de la pobreza. Vemos la brillante chispa en nuestros hijos, y desesperadamente queremos que aprendan, desarrollen sus dones y alcancen el potencial dado por Dios.

Las madres alrededor del mundo reconocen que no pueden controlar todas las fuerzas que amenazan el bienestar de sus hijos. Se sienten impotentes cuando están dolidos o enfermos, y necesitan con urgencia que otros los apoyen llevando las cargas que sienten por ellos.

Aún así hay algunas diferencias importantes en las experiencias de las madres. Mientras que nosotras en Norteamérica casi tenemos libertad ilimitada para reunirnos con el fin de apoyarnos mutuamente en oración y estudiar la Biblia juntas, creyentes en otros países son perseguidos por cualquier actividad cristiana, incluyendo la oración. En China, Sudán y Etiopía, y muchos países del Medio Oriente, aún la gente es encarcelada y asesinada por su fe. En algunos de estos países las mujeres arriesgan su vida sólo por reunirse a orar con otros creyentes.

De vez en cuando debemos levantar nuestros ojos al horizonte para ver que el mundo es mucho más grande que nuestras necesidades personales, nuestra familia y nuestro país. Hay muchas necesidades en otras partes del mundo, y Dios está respondiendo las oraciones de esas madres también. Nosotras tenemos mucho que podemos aprender de estas oraciones… que van alrededor del mundo.

## Oraciones Que Traen Esperanza

Cuando el año escolar estaba a punto de comenzar, un grupo de madres cristianas en un país del Medio Oriente[1] se sentía desesperado. Su país está en crisis, como lo están muchos de la región, y los creyentes sufren persecución. Grupos musulmanes extremistas, incentivados por las mismas fuerzas que han aislado a Iraq han incrementado la crueldad, e intensificado el terror.

"Estábamos en un estado de desesperación", escribió una de ellas. "Sentíamos que como madres nos habíamos rendido al enemigo, permitiéndole que se robara a nuestros hijos. Las escuelas aquí no saben ni enseñan nada sobre el Señor Jesucristo. Aún así debemos enviarlos allá. Tampoco hay escuelas cristianas gratis para enseñarles... Pensábamos que no éramos capaces de hacer nada... Nosotras las madres nos hemos parado con las manos atadas".

Pero Dios escuchó sus clamores, y una semana después de que el año escolar comenzara, un misionero puso en las manos de aquella madre, un pequeño folleto titulado "Madres en Contacto", escrito en árabe. Ella dijo: "Cuando vi el título, reí dentro de mí, diciendo: '¿Cómo podría una mujer occidental entender y sentir lo que una mujer oriental sufre?'"

Pero antes de terminar de leer la introducción se había dado cuenta de que sus problemas eran similares. Como ella dice: "Satanás está en todo lugar, atacando a nuestros hijos, aunque con diferentes estrategias de un país a otro. El resultado es el mismo: Arrebatarlos como una presa en sus manos. Pero gracias sean dadas a Dios quien nos guía en su triunfo y motivó a alguien a compartir esta visión de oración con nuestra gente también".

El folleto de Madres Unidas Para Orar que había recibido fue traducido al árabe por una mujer nativa a principios de los años 90, y terminado más tarde por un misionero norteamericano. Cuando los primeros 200 folletos fueron arrebatados y distribuidos por pastores, él vio cuán desesperadamente las mujeres necesitaban esos grupos de oración. Luego encontró la forma de imprimir y distribuir 23.000 folletos, a pesar de que cualquier impresión de material cristiano no aprobada, podría dar como resultado el encarcelamiento.

Es por eso que este pequeño folleto fue recibido con tanto gozo. Se convirtió en el primer libro cristiano publicado en árabe sólo para mujeres. La carta de un nuevo grupo de Madres Unidas Para Orar, dice: "Creemos que el Señor, quien te ha enviado en un tiempo como este, debe haberte hablado para distribuir el libro esta semana en particular, lo cual es maravilloso, y nos ha asombrado..." Llegó el mismo día que comenzaban las clases en la escuela, y las madres estaban clamando a Dios desesperadas por sus hijos y la condición de las escuelas. Ahora su desesperanza y las esposas que ataban sus manos fueron rotas, porque había algo importante que podían hacer a favor de sus hijos.

## Compartiendo la Visión

Estas madres comenzaron a orar y a compartir la visión con otras mujeres, y el primer año cerca de 30 grupos de madres comenzaron a orar juntas por sus hijos y las escuelas. Cada ciudad importante y muchos pueblos ahora tienen Madres Unidas Para Orar reuniéndose semanalmente. Algunas madres cópticas (Ortodoxsas), debido al deseo de orar por sus hijos fueron atraídas por el grupo. Luego durante el proceso de participación en la alabanza, acción de gracias e intercesión, ¡ellas conocieron a Jesús! Muchas se han comprometido con Cristo, y sus vidas y familias han sido transformadas.

La madre que se ofreció voluntariamente para entrenar y coordinar los grupos de oración en ese país fue presionada por el gobierno para suspender las actividades del ministerio. A su esposo, para reducirle las actividades de su ministerio, y como advertencia, le cambiaron el trabajo por otro donde tenía que viajar dos horas diarias.

Como ella tuvo que retirarse, otra mujer sintió el llamado del Señor para reemplazarla, y milagrosamente obtuvo la visa de entrada a California para la celebración del décimo aniversario de Madres Unidas Para Orar, en 1994. Era la primera vez que salía del país y pasaba una noche lejos de su familia. Al regresar a casa tenía mayor celo por este ministerio.

Luego, de repente, la persecución para los creyentes se incrementó, y toda actividad cristiana fue suspendida. No se permitían reuniones en ninguna parte, excepto en iglesias registradas, la cuales eran bombardeadas o quemadas regularmente por grupos terroristas. Debido al incremento de la violencia en la noche, se estableció una hora límite para regresar a casa. Muchos creyentes fueron asesinados. Por el abuso a jovencitas, las madres temían más por la seguridad de sus hijas que por sus propias vidas. Mientras tanto, los folletos de oración circulaban silenciosamente entre las madres y abuelas, mostrándoles cómo cubrir a sus hijos con oración.

"Su fe es tan fuerte", dice una aliada norteamericana. "'El vivir es Cristo y el morir ganancia' es una realidad para ellas. Pero temen por sus hijos".

Aun dos o tres mujeres reunidas en una casa causan sospecha, especialmente si son conocidas como cristianas. Por este motivo el ministerio debía ser suspendido o realizado clandestinamente. Las madres que se reunían a orar o a recibir entrenamiento para liderar un grupo lo hacían bajo su propio riesgo. En verdad para ellas el ministerio era un asunto de vida o muerte.

Durante el tiempo de hostigamiento y persecución, la coordinadora experimentó un gran desánimo y pesadez. Fue amenazada con perder su trabajo si continuaba realizando cualquier actividad del ministerio. Pero sus hermanas norteamericanas de Madres Unidas Para Orar y las de su país continuaron orando por ella. Oraron para que a pesar de que el ministerio no podía estar activo ahora, Dios continuara preparándola para el momento cuando las puertas se abrieran y ella pudiera seguir.

Aún cuando no se podían reunir, aquellas mujeres mantuvieron la esperanza de que sus oraciones harían la diferencia para sus hijos. Esperanza en las promesas de la Palabra de Dios para la protección de sus hijas y la redención de sus hijos; esperanza de que Dios realmente se interesaba en ellos y había escuchado sus clamores; esperanza en que sus hijos serían fuertes en su fe y que no serían influenciados por el Islam. Y esperanza de lograr un lugar para ellos en la sociedad y el reino de Dios.

"Una vez estuvimos sin esperanza, pero ya no", escribió la líder de Madres Unidas Para Orar. "Ahora sabemos qué debemos hacer por nuestros hijos y las escuelas. ¡Cómo agradecemos al Señor Jesucristo ...por tu fidelidad, porque no te reservaste esta visión para ti sola, o sólo para Norteamérica"!

Durante los tres años de persecución, ellas esperaron con anhelo el día cuando se podrían reunir a orar de nuevo. Externamente parecía que los grupos se habían acabado y el ministerio estancado. Luego la marea cambió. Parte de la presión fue quitada y las valientes madres han comenzado a reunirse en pequeños grupos para orar, aún cautelosas, pero con gozo. Ahora la visión acerca de las madres orando es más fuerte que nunca.

Como una madre dijo: “Hemos pasado por una situación extremadamente difícil. Durante ese tiempo no pudimos continuar con el trabajo debido a la presión externa que afectó nuestros corazones y almas. Pero no nos desesperamos. Diligentemente continuamos en oración día y noche pidiéndole al Señor que interviniera y nos diera la salida. Y efectivamente, hemos reiniciado nuestras reuniones. Esto se debe a las muchas oraciones elevadas tanto en el interior como en el exterior”.

Un avivamiento en este país y a través del Medio Oriente está creciendo con la misma intensidad que la oposición, dice una mujer involucrada en el ministerio en ese lugar. “Los musulmanes están recibiendo a Cristo en un porcentaje sin precedentes, con milagros de sanidad y liberación. El Señor está escuchando y respondiendo las oraciones de su pueblo, y la sangre de los mártires está levantando un avivamiento aún mayor, mientras los muros del islam se derrumban. Cuán misericordioso es nuestro Dios, porque nos permite jugar un papel importante ayudando a nuestras hermanas a aprender cómo orar por los hijos que Dios mismo está levantando”.

Cuando leo cartas de las madres del Medio Oriente, se me recuerda de manera enfática que nada es imposible para Dios. “Cuando enfrentamos lo imposible, podemos contar con el Dios de lo imposible”, dice Amy Carmichael.[2] ¿Hay algo en tu vida que parece imposible? Quizá tener una vida de oración disciplinada, dadas las demandas de tiempo. Tal vez una agobiante carga que sientes es “irremediable”. Así como Dios ha llevado a estas madres del país en el Medio Oriente de la desesperación y persecución a la esperanza, puede llevarte a comenzar de nuevo.

## Poniendo Acción a Nuestras Oraciones

A continuación, algunas formas prácticas para ensanchar el horizonte de tus oraciones.

*Adopta un país.* Mientras leías sobre las madres del Medio Oriente, ¿fue conmovido tu corazón por ellas? Permite que el Señor ensanche tu corazón más allá de tus necesidades personales orando por uno de esos países donde grupos de madres se reúnen semanalmente, a veces bajo su propio riesgo: Rumania, Rusia, Egipto, Corea, Indonesia, Nigeria, Méjico, África, Grecia, China y Taiwán. Si orar por el mundo parece demasiado grande, pídele a Dios que te dé una tarea de oración, un país específico o una carga por la cual puedas interceder.

*Ora por grupos de madres.* Ora para que haya un grupo de madres orando en cada escuela, pública y privada, de las ciudades y pueblos alrededor del mundo. Satanás odia la oración, él pone obstáculos en nuestro camino sin importar dónde estemos. En Suráfrica, por ejemplo, las madres están preocupadas por el satanismo, el desenfrenado uso de drogas, la falta de disciplina en las escuelas, los sobre cupos, y al igual que nosotras, la falta de tiempo. "Todo el mundo dice estar muy ocupado; hay niños corriendo por todas partes y madres trabajando. Es difícil apartar un tiempo de sus horarios para orar. Pero definitivamente no nos estamos rindiendo", dice Rosmery, la coordinadora de Madres en Contacto de Suráfrica.

Ora para que madres de todas partes tomen la visión y experimenten de primera mano que estar con otra madre delante del Señor las liberará de sentirse desesperanzadas. Ora para que las madres intercesoras confíen en que están haciendo una diferencia en la vida de numerosos niños.

*Oh Señor, sé con las preciosas madres de otros países*
*que tienen tan poco, pero aún así las amas tanto.*
*Fortalece sus corazones. Pon una barrera*
*de protección a su alrededor,*
*y recuérdanos orar por ellas.*
*Da a estas madres esperanza y el compromiso fuerte de orar*
*por sus hijos y escuelas. Y levanta madres en cada nación*
*para que guíen el camino de la oración .*

*Por amor de Cristo. Amén.*

*La oración constantemente ensancha nuestro horizonte, y*
*a nosotros como personas.*
*Nos saca de los angostos límites*
*con los cuales, nuestros hábitos, nuestro pasado,*
*y toda nuestra personificación, nos confina.*

Paul Tournier

CAPÍTULO QUINCE

# Cuando Dios Pide que le Pongamos Acción a Nuestras Oraciones

*Ensancha el sitio de tu tienda*
*y las cortinas de tus habitaciones sean extendidas;*
*no seas apocada; alarga tus cuerdas*
*y refuerza tus estacas.*
*Porque te extenderás a la mano derecha y*
*a la mano izquierda...*

(Isaías 54:2-3)

Cuando reflexiono en mi jornada de oración, estoy más consciente que nunca sobre cómo Dios usa las preocupaciones para ensanchar nuestros corazones y bendecir a otros. La preocupación que tuvimos por nuestro hijo cuando batallaba con el asma, hizo que mi esposo y yo estudiáramos con más diligencia lo que la Biblia dice acerca de la oración y la sanidad. Mientras aprendíamos a orar más afectivamente por él, aumentaba nuestra compasión por otros. Eso originó en nuestra iglesia el ministerio Uniéndose a los Siervos en Oración, donde por un período de varios años oramos por mucha gente, tanto en el hospital como en servicios de oración. Esto también hizo que

Holmes fuera en una misión de oración a Taiwán con otros miembros de nuestra iglesia. Con cada paso, Dios ensanchó nuestra perspectiva y nos movió a actuar.

Dios usa nuestras experiencias personales para desarrollar esta “amplitud de corazón”, este acercarnos a otros como 2 Corintios 1:3-4 lo describe: el *Padre de misericordias y Dios de toda consolación... nos consuela en todas nuestras tribulaciones, para que podamos también nosotros consolar a los que están en cualquier tribulación, por medio de la consolación con que nosotros somos consolados por Dios.* Cuando consolamos a otros orando por ellos, transmitimos lo que Dios misericordiosamente nos ha dado.

Esta transferencia de consolación se da una y otra vez cuando dos madres comienzan a reunirse regularmente para orar por sus hijos y luego, como son tan bendecidas, lo comparten con otras. Así es cómo el ministerio de madres orando ha ido por todos los Estados Unidos, Canadá y en muchos otros países alrededor del mundo. Cuando una mujer le cuenta a otra y luego a otra, la diferencia tan grande que hace la oración en su vida, amplía su círculo de atención.

## Yendo Más Allá de Nuestras Zonas de Comodidad

Durante el proceso Dios ha sacado suavemente a mujeres de sus zonas de comodidad para llevarlas al ministerio y al liderazgo. A menudo, Él parece escoger una mujer tranquila, una que prefiere acompañar, para que reúna mujeres y las dirija en un grupo de oración. Isabella era tan tímida que le pedía a otras que oraran. Ella dice: “Cuando tenía una carga, siempre pensaba que otras personas podían usar las palabras correctas, mejor que yo, y que Dios nunca respondería a mi problema mejor que a ellas. Pero a través de un grupo de madres de oración en Escocia, toda su visión sobre la oración cambió; aprendió que de hecho Dios escuchaba sus oraciones y respondería a ellas. Entonces, cuando se mudó a Inglaterra, alcanzó mujeres de su pueblo y comenzó un grupo de Madres Unidas Para Orar.

Mujeres reubicadas debido al trabajo o ministerio de sus esposos han sido la fuerza principal detrás del esparcimiento de las semillas de oración a nivel internacional. Cuando Ingrid vivió con su familia en Egipto, comenzó a orar con un grupo de Madres Unidas Para Orar que intercedía semanalmente por una escuela alemana. Había experimentado cómo las oraciones podían calmar las ansiedades y preocupaciones por sus hijos como también cambiar sus vidas y escuelas. Cuando se mudó a Alemania, ella tomó su visión de madres que oran. "¡Capté la idea en Egipto y la traje a Alemania!", dice Ingrid. "Es bueno que las madres comiencen a creer que las promesas de la Biblia son para nosotros hoy; así las podemos poner en práctica".

Ingrid comenzó a poner en práctica las promesas, en su grupo de "Mutter in Kontakt", con mujeres de diferentes nacionalidades: checas, rumanas, libanesas, alemanas y coreanas, mientras oraban semanalmente por sus hijos. Como todo lo que Ingrid tenía para su grupo era un folleto en inglés de Madres Unidas Para Orar, pronto fue evidente que se necesitaba una traducción al Alemán. Como ella era sueca y su esposo suizo, buscó a alguien para que lo tradujera, pero Dios continuó señalándola a ella para hacerlo. Escribir la versión en alemán definitivamente estaba fuera de su zona de comodidad, pero dio el paso de fe, y comenzó la traducción y encontrando luego a una alemana para que lo editara. Luego de su cuidadoso trabajo y la ayuda financiera de Madres Unidas Para Orar de Norteamérica, la traducción al alemán fue terminada, impresa y distribuida tanto en Alemania como en Suiza.

## Combinando el Caminar con el Hablar

Prepárate. Dios puede pedirte que participes ejecutando lo que oras. Una madre de Oregon que se llama a sí misma "La Embajadora Renuente", aprendió esto de primera mano. Hace muchos años, Bárbara Hicks, una coordinadora de área de Madres Unidas Para Orar en Oregon, comenzó a orar por dos pastores de Uganda, además de que finalmente los apoyó financieramente. Mientras ella oraba para que más personas llegaran a conocer a Cristo a través de las cruzadas de estos pastores, desarrolló una gran carga por los países. Más tarde, mientras se preguntaba cómo esparcir la visión acerca de Madres Unidas Para Orar, pensó enviar un folleto a cada pastor. "Qué cosa más fácil de hacer, enviar los folletos", dijo ella. "No tenía idea de que cientos de mujeres se unirían a Madres Unidas Para Orar mientras estos pastores dispersaban la Palabra en cruzadas a través de sus países". Ella tampoco tenía idea de que *su* vida sería afectada de una forma poderosa.

Para compartir con facilidad la visión sobre las madres orando, uno de los pastores tradujo el folleto de Madres Unidas Para Orar al idioma swahili y le dio la primera copia a Diana Mushi, una madre de Tanzania. Inmediatamente ella captó la visión de Madres Unidas Para Orar y ayudó a comenzar grupos en numerosas iglesias.

Por el mismo tiempo, un grupo de personas de la iglesia de Bárbara estaba planeando un viaje a África, así que la invitaron para que compartiera con las mujeres acerca de la oración. Pero Bárbara no tenía el deseo de ir a África. ¡Eso estaba totalmente fuera de su zona de comodidad! "Por dos semanas me angustié tratando de conocer la voluntad de Dios. Quería hablarle a las mujeres sobre Madres Unidas Para Orar, pero no soy una 'conferencista'. Ni quería contagiarme de una enfermedad tropical, dormir en el piso, darme un baño sólo con una taza de agua, tener calor, dejar a mi familia por un mes, estar justo al lado de Ruanda, viajar en un avión por 24 horas (¡dos veces!), sufrir un cambio de horario, no tener electricidad, o dormir bajo un toldillo", dice ella.

Pero como Bárbara oró, Dios transformó su renuencia a obedecer, y se decidió a ir. Mientras muchas madres oraban por ella, Bárbara voló con un equipo a Tanzania y habló cinco veces a por lo menos 100 mujeres africanas cada vez, animándolas a orar por sus hijos y escuelas. Estaba sorprendida de cuántos grupos ya habían comenzado sólo con un folleto en cada país.

Pero no a todos les agradaba su presencia. En una ocasión, para evitar su llegada a cierta ciudad, una escuela fue bombardeada donde murieron ocho niños y 80 quedaron heridos. Luego una iglesia en Uganda oró toda la noche y al siguiente día cuatro musulmanes fueron atrapados colocando una bomba donde más tarde ellos se reunirían. Mientras todo el equipo lamentaba la tragedia y estaba asustado por la noticias, también se sentía cubierto por las muchas oraciones a favor de su seguridad.

El viaje tuvo bendiciones y sorpresas. Bárbara nunca había experimentado un gozo como el que tuvo alabando con los cristianos africanos en los servicios de tres horas. A pesar de que se sentaban en bancas de madera sin espaldar, en una construcción con paredes de palo, piso de tierra y un techo de paja, ella apenas lo notó. "La alabanza era tan emocionante, el servicio honraba tanto a Dios, que incluso cuando las fuertes lluvias formaron ríos debajo de nuestras bancas, nosotras apenas ¡movíamos los pies y dejábamos pasar el agua!"

Muchas oraciones recibieron respuestas específicas. Bárbara no se contagió de malaria y Dios sanó un dolor severo en su cadera y pierna. Todo el equipo estuvo a salvo y cientos de mujeres en Tanzania fueron animadas a orar por sus hijos. Como resultado, Dios está respondiendo las oraciones de madres africanas, por los problemas específicos que ellas y sus hijos enfrentan.

Una de las luchas más grandes que las mujeres en Tanzania enfrentan es "hogares rotos" o familias destruidas. Las familias se están separando. El grupo de Diana Mushi tiene tantas necesidades que se reúnen dos veces por semana: Los miércoles para orar por sus hijos y escuelas, y los viernes por sus esposos, los matrimonios, la iglesia y la nación.

Una de las madres estuvo separada de su esposo por tres años luego de que él la dejara por otra mujer. Las madres clamaron a Dios por esta familia y "en mayo de este año, todos celebramos ¡la renovación de votos!", dice Diana.

Otra madre en su grupo estaba casada con un musulmán del cual tenía cuatro hijos musulmanes. Luego de que el grupo oró durante un año por esta familia, Dios tocó al padre y a los hijos, y ellos se volvieron cristianos.

Gente joven por la que han orado ha salido del abuso de drogas y muchos hijos han sido físicamente sanados.

"Es cierto que generalmente somos seres humanos débiles, pero no usamos planes y métodos humanos para ganar nuestras batallas. Nuestra arma es la oración, y la fuerza que viene de nuestro Señor", dice Diana.

Como resultado de la gracia de Dios, más de 400 madres ahora están orando por sus hijos y escuelas en Dar es Salaam, Mwanza, Mbeya, Moshi y Arusha. "Un avivamiento está comenzado en mi país; por favor ¡ora por nosotros!", dice Diana.

## Un Reto Cerca e Inminente

Dios no tiene que llevarnos fuera del país para sacarnos de nuestras zonas de comodidad. Puedes encontrarlo retándote, como lo hizo con Valerie Eation, a ir más allá de tu zona de comodidad sin siquiera salir del estado.

Valerie, una madre de Oregon, había liderado un grupo de oración para la escuela de sus hijos, pero cuando Fran, una mujer con un ministerio para mujeres detenidas, le pidió que viniera a la penitenciaría Salem y compartiera acerca de la oración, estaba nerviosa. Como sintió que Dios le estaba dando la oportunidad de compartir lo que le había dado a ella, entonces, a pesar de la incomodidad que sentía, oró por su ayuda, y porque le llenara el corazón de su amor para estas madres.

Madres, abuelas y tías se reunieron alrededor de su mesa. Y Valerie pronto observó que las madres tras las rejas, al igual que las otras, llevaban las mismas cargas por sus hijos, pero tienen menos oportunidad de criarlos y proveer para sus necesidades. Algunas se preocupaban por las circunstancias en la vida de sus hijos mientras ellas estaban en prisión. Se angustiaban por no poder colocar a sus hijos en la cama, proveer ropa y artículos escolares, o poderlos escuchar. Algunas no pueden ver a sus hijos porque viven muy lejos de ellas para visitarlas. Una mujer de 18 años daría a luz a su bebé en una semana y luego tendría que entregarla. Estas mujeres están maniatadas, y virtualmente impotentes para hacer algo por sus hijos.

Como Valerie caminó con ellos a través de los cuatro pasos de la oración, oró un versículo por cada uno de sus hijos, leyéndolo en voz alta con ellas y poniéndoles el nombre de ellos. Las lágrimas comenzaron a correr por los rostros de cada una mientras sus ojos eran abiertos. ¡Ahora podían hacer algo por sus hijos!

"Es posible que no puedas colocar a tus hijos en tu regazo y proveer lo que necesitan", les dijo Valerie. "Pero incluso aquí en prisión tienes la posibilidad de orar por ellos, y eso es lo más importante que puedes hacer". Quizá por primera vez en muchos años aquellas mujeres tuvieron la esperanza de que podrían influenciar la vida de sus hijos.

Debido a que Valerie fue y le ministró a aquellas mujeres de la prisión, uno de esos grupos especiales que Jesús mencionó en Mateo 25, también uno de los más descuidados, las mujeres en la penitenciaría de Salem comenzaron a reunirse y a interceder por sus hijos.

## Oración en Acción

Encuentro que con frecuencia la oración nos lleva a la acción. De hecho, la oración *es* acción. Y en un sentido, todas nuestras acciones son oraciones; toda nuestra vida es una oración por lo bueno o lo malo.[1] Podemos tener la certeza de que cuando Dios nos llama a actuar, su gracia nos sostendrá, y que Él hará mucho más de lo que pensamos o preguntamos.

Me encanta lo que Fern Nichols compartió conmigo acerca de caminar en una sencilla obediencia diaria: "Cualquier día cuando Dios te diga que hagas algo, sólo sé obediente. No sabes lo que Él hará con tu obediencia. El Señor es quien trabaja en y a través de nosotros para cumplir su propósito. Cada día es nuestra pequeña obediencia, Él hará lo grande".

## Poniendo Acción a Nuestras Oraciones

¿Qué paso te puede estar pidiendo Dios que des para que pongas en acción tus oraciones? Considera las siguientes ideas para que lo descubras.

*Ora para que Dios te estire.* ¿Por cuál necesidad o preocupación te sientes más apasionada? ¿Por cuál país sientes carga? ¿Qué rompe tu corazón? Mientras oras por esto, disponte a ser parte de la respuesta, porque así equilibras tus oraciones con la acción, si así Dios te guía.

Puede significar que reúnas un par de mujeres en tu vecindad o escuela para orar contigo, aun si eres una de esas mujeres calmadas que no se considera "líder". Si Dios tiene un plan para ti, Él te equipará. Puede significar que comiences un grupo de oración en una prisión de mujeres, orando por y tutoreando un chico citadino, o siendo mentora y discipulando a una madre soltera joven. Puede incluso significar que animes mujeres de otro país para que oren por sus hijos y escuelas.

"Lo importante es compartir lo que ha fortalecido y encendido tu alma. Con seguridad otros se encenderán luego", dice Amy Carmichael.[2] 2 Timoteo 2:2 lo expresa bien: Toma lo que tienes y compártelo con otros.

¿Cómo puedes transmitirle a alguien más las bendiciones que has recibido de Dios en oración?

*Ora por las coordinadoras del país*. Ora por las coordinadoras de grupos de oración en algunos países del mundo. En Nueva Zelanda solamente, Deidre Chicken coordina más de 300 grupos desde una pequeña oficina en casa mientras cuida de sus tres hijos y esposo, y conserva un empleo. Están viendo mucho fruto de sus oraciones. En Tanzania, Diana Mushi anima a madres y coordinadoras de grupos de MECI sin equipos de oficina o espacio. Estas madres necesitan ayuda, fondos para equipos, oficinas, y nuestras oraciones. Pídele a Dios que te use ayudándolas a llevar a cabo lo que Dios las ha llamado a hacer.

*Señor, oramos para que tú nos guíes a poner en acción nuestras oraciones.*
*Oramos para que nos envíes como obreras a las prisiones de oscuridad,*
*ya sean físicas, políticas o espirituales.*
*Úsanos individualmente para que hagamos lo que nos corresponde,*
*en nuestros vecindarios o alrededor del mundo,*
*cubriendo a nuestros hijos en oración.*
*Haznos fieles en la oración, y concédenos corazones valientes y obedientes para actuar cuando tú lo muestras.*

*En el nombre de Jesús. Amén.*

*Más beneficios llegan por la oración*
*de lo que este mundo sueña.*
*Por tanto, permite que tu voz*
*se levante como una fuente para mí, día y noche.*

ALFRED LORD TENNYSON

CAPÍTULO DIECISÉIS

......

# Las Huellas de la Oración

*...La oración eficaz del justo puede mucho*

(SANTIAGO 5:16)

¿Alguna vez has escuchado de Mary Ball, Elizabeth Newton o Ni Kwei-tseng? Tal vez no, pero apuesto a que sí de sus hijos, George Wahington, John Newton y Madame Chiang Kai-shek.

Mary, Elizabeth y Ni eran mujeres con una gran visión, y sus historias muestran qué efectos, a largo plazo, puede tener la oración, mucho más allá del período de vida de la persona que ora. Viendo estas "historias detrás de las historias", desde la perspectiva de muchos años después, verdaderamente podemos ver las huellas dejadas por las oraciones de aquellas mujeres, y ser animadas porque con seguridad así como Dios trabajó a través de sus oraciones, Él actuará en la vida de nuestros hijos a través de la nuestra.

## Presidente a Prueba de Balas

George Washington, el primer presidente de los Estados Unidos, fue el hijo de Mary Ball Washington, una madre algo nerviosa y sobreprotectora.

Cuando a los 21 años, Washington fue invitado para que llegara a ser el ayudante del General Braddock, durante las guerras con los franceses y los indios, su mamá protestó enérgicamente. Después de todo él era joven, tenía mucho potencial, y ¡era su hijo! Ella ya había rehusado su petición de unirse a la Naval Real Británica cuando sólo tenía 14 años. En lugar de eso, tuvo que trabajar como inspector, pero para cuando tenía 20, prestaba el servicio militar en el ejército civil de Virginia. A pesar de que no tenía entrenamiento o experiencia, pronto fue comisionado como alcalde. No es de sorprenderse por la preocupación de su madre.

"Preocupada por su seguridad, apresuradamente fue a Mount Vernon para persuadirlo de que no aceptara la invitación, cosa que no logró. En su conversación, él le recordó: 'El Dios al que me encomendaste, señora, cuando salí a hacer la más peligrosa misión, me defendió de todo peligro, y ahora confío que hará lo mismo. ¿Tú no?'"[1] ¿No le suena esto como a un joven aventurero que amaba el ejército y pensaba que su madre estaba siendo sobreprotectora (¡y sabía cómo manejarla!)?

Antes de que viajara, sin embargo, afirman que se arrodilló delante de la silla mecedora de su madre mientras ella oraba por la protección de Dios para su vida. Más tarde Washington dio crédito a las oraciones de su madre[2] por sobrevivir a tantas crisis y masacres en las campañas británicas que siguieron. En un incidente, el General Braddock yacía muerto junto con cientos de las tropas de Virginia; pero Washington nunca fue herido. En batallas posteriores, francotiradores indígenas y jefes, comentaron que le habían disparado numerosas veces, pero no lo habían podido matar.[3]

¿Cómo lo explicó Washington? Él le escribió a su hermano luego de la masacre en el Fuerte Cumberland: "Por la todopoderosa dispensación de la providencia, he sido protegido más allá de cualquier probabilidad o expectativa humanas. Mi abrigo fue cruzado por cuatro balas y a dos caballos les dispararon mientras yo los montaba; pero aun así escapé ileso, aunque la muerte estaba derribando a mis compañeros por ¡todos lados alrededor de mí!"[4]

## Un Traficante de Esclavos Convertido en Ministro

Mientras Elizabeth caminaba de la capilla a la casa, con su pequeño hijo John, soñó que algún día él sería un ministro de Dios al igual que sus pastores Issac Watt y David Jennings. A pesar de que su esposo asistía a la iglesia de Inglaterra, era el capitán de un barco que vez tras vez estaba en el mar durante meses. Por esta razón Elizabeth tuvo la principal influencia en los primeros años de su hijo. No sólo le enseñó a leer, escribir y matemáticas, también el catecismo y la Biblia. Fue una madre piadosa y tierna que oró intensamente con y por su hijo.

Sin embargo, como antes de que John cumpliera siete años su joven madre murió de tuberculosis, él fue dejado al cuidado de su madrastra y su generalmente ausente padre, quien casi no proveía influencia espiritual y crianza. El Capitán Newton tenía una visión diferente a la de Elizabeth sobre el futuro de su hijo, así que John hizo su primera travesía marítima a los 11 años.

Durante su adolescencia y los años 20, la vida moral y espiritual de John dio vueltas en espiral hacia abajo. En su esfuerzo por escapar de Dios, este pródigo se entregó a toda clase de libertinaje y crueldad, blasfemando el nombre de Dios repetidamente y tratando de llevar a todos los que le fuera posible al infierno con él. John se convirtió en un traficante de esclavos y escapó de la muerte numerosas veces. Por más de un año estuvo como esclavo en África, donde casi muere de hambre.

Luego de 22 años de rebeldía contra de Dios, una noche John Newton vivió una fuerte tormenta en el mar. Ésta era tan violenta que él tuvo que atarse a sí mismo al timón para poder dirigir la nave. En esas desesperadas 11 horas, clamó a Dios y se halló recordando oraciones de su niñez, las palabras de su madre, las enseñanzas del catecismo y los versículos. Aquella vez se "agarró de la mano extendida de Dios" y fue salvado por su sublime gracia.[5]

Esa experiencia comenzó la transformación de Newton, quien a los 38 años, fue ordenado como ministro de la Iglesia de Inglaterra, en las cuales sirvió a Dios como pastor del condado, evangelista y escritor de himnos. Ayudó a sacar a la luz las maldades de la esclavitud e hizo un profundo impacto en William Wilberforce, cuya influencia en el parlamento llevó a la abolición del tráfico de esclavos en el imperio británico. A pesar de que Newton fundó sociedades misioneras y bíblicas alrededor del mundo, y llevó a muchos a Cristo, por medio de sus predicaciones, su mayor legado pudo haber sido escribir "Sublime Gracia".

¿Quién preparó el terreno para que la gracia de Dios redimiera a ese "infeliz"? "Las oraciones de su madre prevalecieron a pesar de los esfuerzos de Satanás para destruir a su hijo e impedir que llegara a ser un instrumento de Dios. Después de 22 años, durante los cuales enfrentó la muerte una y otra vez, las circunstancias individualizadas y providenciales de Dios finalmente lo llevaron a Cristo, como una respuesta a las perseverantes oraciones de su madre".[6]

Mientras leía la biografía de John Newton, pensé en cómo Dios honró las oraciones de su madre. Vivió para orar por él sólo siete años, los cuales fueron efectivos. Él se alejó de Dios por 22 años, pero no pudo huir de las oraciones de su madre. Luego de su conversión le sirvió a Dios por 44 años, el doble. Y su influencia continúa mientras millones cantan "Sublime Gracia" en la iglesias, bajo carpas y en hogares alrededor del mundo.

## La Madre que Impactó a China

Una madre fiel en su aposento de oración puede influenciar con el cristianismo a un país que por siglos ha estado en la oscuridad.

Ni Kwei-tseng, nacida en China en 1869, llegó a ser la señora Charles Jones Soong a la edad de 17 años. Tuvo 6 hijos, cuatro de los cuales crecieron y sirvieron en posiciones altamente distinguidas en la historia de China. Su hija Mayling se casó con el General Chiang Kai-shek. Su segunda hija, Chinling, se casó con Sun Yat-sen, padre de la República Nacionalista de China, descrito como el "George Washington del pueblo chino". Su hijo, T.V. Song sirvió como ministro de relaciones exteriores y de finanzas de China, y al igual que sus hermanas, trabajó durante toda su vida para "mejorar la condición del pueblo chino".[7]

La ferviente vida de oración de la señora Soong fue un modelo para sus hijos. Arrodillada en el cuarto de oración se levantaba al amanecer cada día y pasaba horas con el Señor. Ella no sólo llevaba a Dios las preocupaciones y deseos por sus hijos, también los sueños y las cargas por su nación. Su hija dijo: "Orar a Dios no era asunto de pasar cinco minutos pidiéndole que bendijera y concediera su petición. Significaba esperar en Él para su guía".[8]

Debido a sus oraciones y el testimonio cristiano, la señora Soong fue llamada "La Gran Madre Cristiana de China". Ella ministró a los pobres, los huérfanos, y los perdidos, mientras pasaba el legado de oración y dependencia de Dios a sus hijos. Reunía su familia para orar y leer regularmente la Biblia, pues su más alta aspiración era que ellos caminaran en la verdad de la Palabra de Dios, en su amor, y en su sabiduría. Debido a sus oraciones, su yerno, el presidente Chiang Kai-shek, también llegó a ser cristiano. Luego de que ella murió, sus hijos impactaron miles de personas chinas con el Evangelio y el testimonio de sus vidas piadosas, a través del establecimiento de misiones, escuelas, orfanatos, y sirviendo en el gobierno chino.

## Legados de Oración

Susanna Wesley, un nombre familiar para muchas de nosotras, es una de mis madres favoritas que oraron en la historia, y hay mucho que podemos aprender de ella. De los 19 hijos que tuvo entre 1690 y 1709, sólo nueve llegaron a la edad adulta. Al tener su noveno hijo, Susanna decidió no seguir apartando sólo una hora para su devocional y oración, ¡sino dos! Quienes la conocieron atribuían su legado espiritual de coraje y paz, al tiempo que pasaba a solas con Dios cada día.

Susanna no tuvo una vida fácil. Se casó con un hombre difícil, su primera vivienda fue una choza de barro, la casa de su familia se quemó dos veces, destruyéndose casi todo, y ella enfrentó crecientes problemas financieros debido a las deudas de su esposo. Aún así su fortaleza estaba en Dios y su propósito era claro: criar hijos cuyas vidas glorificaran a Cristo.

Susanna educó a sus hijos estrictamente, enseñándoles seis horas cada día en casa, pero sabía que su madurez espiritual vendría por la intervención divina. Su biografía describe cómo ella ponía a sus hijos en la cama cada noche y mientras levantaba la vela para alumbrar cada rostro, le pedía a Dios que la capacitara para inspirar de tal forma a sus hijos que pudieran ser usados por Él en el proceso de cambiar al mundo.

Su hijo John llegó a ser un poderoso predicador, tanto en Inglaterra como en las colonias, y fundó el Movimiento Metodista. Sus sermones se esparcieron por toda Inglaterra con el fuego renovador del Espíritu Santo. Su hijo Charles, también un poderoso predicador, escribió muchos himnos hermosos que aun hoy se cantan en las iglesias.[9]

## Una Oración de Dedicación

Cuando dedicamos nuestros hijos a Dios y su obra en la tierra, y los abandonamos en sus manos, ¿quién sabe cómo usará Él sus vidas? Patricia St. John, una de las primeras mujeres que ministró en Marruecos y África del Norte, y autora de clásicos para niños como *Treasures in the Snow* (Tesoros en la Nieve), cuenta en su autobiografía cómo las oraciones de su madre influenciaron su destino:

"Creo que desde nuestros primeros años fuerzas irreconocibles, sobrenaturales, trabajaban en nuestras jóvenes vidas",[10] dice ella. Su familia había llegado a Inglaterra luego de la Primera Guerra Mundial cuando el fervor por el trabajo misionero era fuerte. Mujeres cristianas prominentes tenían reuniones en sus casas con el propósito de levantar fondos para la Misión al Interior de la China y otros esfuerzos evangelísticos en Asia. Estaba de moda que las mujeres llevadas por la apariencia, dejaran sus joyas, perlas y dinero en los platos de las colectas durante las reuniones.

En una de esas reuniones, la madre de Patricia, la pobre esposa de un evangelista, "consciente de su escacez, y sintiéndose fuera de lugar, se sentó atrás. No tenía nada para dar. Entonces casi como una voz audible vino a su pensamiento: '¿Qué es lo más preciosa que posees?'"

"'Mis tres hijos'", respondió ella. "Su corazón se elevó y caminó valientemente hacia el frente donde ofreció a Dios sus tres hijos pequeños para el campo misionero. Tal acto, en esos días, no era un pequeño sacrificio; no había periódos cortos, un par de licencias y muchos morían. Aún así ella secretamente se mantuvo en su decisión". En el margen de su Biblia, al lado del Salmo 84:3 escribió: "Sólo rendidos en el lugar del sacrificio están ellos perfectamente a salvo".[11] A pesar de que su madre no le dijo nada de sus oraciones hasta que fue adulta, Patricia recordaba el día cuando ella y su hermano, a las edades de 12 y 13 años, se estaban co lumpiando en un árbol de haya, y decidieron que juntos serían misioneros cuando crecieran.

Patricia estudió enfermería y trabajó en un hospital de Inglaterra durante la Segunda Guerra Mundial. Después de la guerra fue misionera en Tangier desde 1949 hasta 1976 (mucho de ese tiempo trabajando con su hermano, quien era el director del hospital). Ella también influenció varias generaciones de niños con los libros que escribió.

Otro gran evangelista y autor, R.A. Torrey, narra el impacto de las oraciones de su madre cuando él estaba "tan cerca de la condenación eterna como cualquier otro. Tenía un pie en el borde y estaba tratando de pasar el otro".[12] Él no estaba buscando a Dios, no asistía a la iglesia o la escuela dominical (¡lo cual debe animar a aquellos cuyo hijos no están asistiendo a la reunión de jóvenes!), y no tenía la más remota idea de convertirse.

Torrey despertó a media noche y se convirtió a Cristo en cinco minutos. "Pensé que ningún ser humano tenía que ver con esto, pues había olvidado las oraciones de mi madre... en este mundo hay un par de convertidos de cualquier otra forma que no esté relacionada con las oraciones de alguien", concluye Torrey.[13]

## Es Tiempo de Salir de Tu Aposento

Mientras tenemos tiempo de orar solos, donde realmente nos podamos concentrar y mantener enfocadas, también es esencial e importante salir de nuestros aposentos de oración para orar *con* nuestros hijos. Cuando oramos juntos en pareja, podemos aprender más acerca de lo que está en el corazón de alguien por escuchar y unirnos a sus oraciones, que de cualquier otra forma.

Charles Stanley a menudo comparte que la mejor forma de que los niños vean y deseen una relación íntima con Cristo es observando la vida de oración de sus padres. Se debe a que él atribuye mucha de su hambre por conocer y confiar en Dios a la piadosa influencia de su madre. Mientras crecía, cada noche él y su mamá se arrodillaban al lado de su cama y oraban. Le agradecían a Dios por su provisión y protección, y llevaban sus preocupaciones diarias a Él.

Más tarde durante su adolescencia, cuando trabajaba en el turno de la noche, en un molino local, y llegaba a casa después de media noche, su madre lo esperaba con comida, y luego tomaban tiempo para arrodillarse juntos al lado de la cama y orar por la guía de Dios y el consejo para su vida. Las oraciones de ella no sólo influenciaron su ministerio e hicieron que llegara a ser un hombre de oración, también impactaron la relación con sus hijos.[14]

## Poniendo Acción a Nuestra Oraciones

Quizá, al igual que yo, te intimidas un poco cuando lees que la señora Charles Jones Soong oraba tres horas diarias, o que Susanna Wesley comenzó a orar dos horas cada día cuando llegó a ser la madre de nueve hijos. Tal vez la siguiente sugerencia te ayudará.

*Haz una oración clásica.* Cuando me frustro tratando de expresar mis necesidades y sentimientos a Dios, lucho con pensamientos vacilantes, o simplemente porque se me acaban las ideas sobre cómo orar, encuentro que me ayuda hacer una oración escrita por alguien más. Las oraciones de gente piadosa en la historia cristiana pueden ser una inspiración, así como por varios siglos lo han sido oraciones bíblicas como la del Señor en Juan 17, la confesión de David en el salmo 51, y las oraciones de Pablo por los Efesios.

Cuando leo las oraciones de Hannah Whitall Smith, Amy Carmichael u otras incontables, mi corazón palpita con el de ellas. Esto me recuerda lo que 1 Corintios 10:13 dice: *No os ha sobrevenido ninguna prueba que no sea humana; pero fiel es Dios, que no os dejará ser probados más de lo que podéis resistir, sino que dará también juntamente con la prueba la salida, para que podáis soportarla.* Sus oraciones pueden ser un trampolín para tu propia comunicación con Dios, y lo más sorprendente de todo, a veces pueden expresar lo que está en nuestros corazones aun más claramente de lo que nosotras podemos.

A continuación algunas de mis favoritas:

Espíritu Santo, piensa a través de mí hasta que tus ideas sean las mías.

AMY CARMICHAEL

En tu pecho apoyo mi cabeza. O Jesús,
amante de mi alma,
tu voluntad sea hecha en mí.
Dame la fe para confiar donde no puedo conocer.
Dame un más grande amor y deseo en oración,
por todos aquellos por los que intercedo diariamente.
Dame fe a fin de recibir la gracia que necesito
para continuar.
Por la oración, por el esfuerzo, por el dar,
para hacer tu voluntad.
O Señor, vence, porque la batalla es tuya.
Perdona mis dudas y sálvame de mis temores.
Cualquiera sea mi lucha, capacítame para ser útil,
en lugar de un estorbo para tu causa.
Te amo… Hágase tu voluntad. Amén.

CHARLES SPURGEON

Señor, yo soy tuya, ¡tuya completamente y
para siempre!
Soy tuya por el pago de tu sangre, así que me
doy a ti ahora
como un sacrificio vivo, cuerpo, alma y espíritu,
para ser como barro en tus manos.
Te doy mi corazón, Señor, para amar sólo
lo que tú amas,
Para odiar lo que tú odias, para soportar todas
las cosas,
para resistir mucho y ser benigna,
para no ser irritada fácilmente. Para no pensar
en la maldad, para no
buscar lo mío propio, ayúdame, ¡oh mi Dios!
Dame tu mente para ser totalmente devota a tu
servicio
y estar perfectamente bajo tu control, para
pensar sólo aquello que te agrade,
para trazar sólo el plan que tú sugieres...
llevar todo pensamiento cautivo a la
obediencia de Cristo,
¡Ayúdame, oh Dios mío!

HANNAH WITHTALL SMITH, *DIARIES*

Gracias, Señor Jesús,
porque eres nuestro escondedero,
pase lo que pase.

CORRIE TEN BOOM[15]

*Oh Señor, Jesucristo,*
*que eres como la sombra de una gran roca*
*en una tierra cansada,*
*quien contempla sus débiles criaturas*
*cansadas del trabajo, cansadas del placer,*
*cansadas de la esperanza pospuesta, cansadas de sí mismas;*
*en tu abundante compasión*
*y sentimiento de afinidad con nosotros,*
*e inexpresable ternura,*
*llévanos, te lo rogamos,*
*a tu descanso.*

CHRISTINA ROSSETTI[16]

*A través de la oración descubrirás*
*que ¡Dios tiene una cualidad magnéticamente atrayente!...*
*El Señor naturalmente nos acerca más y más*
*hacia Él.*

MADAME GUYON

CAPÍTULO DIECISIETE

# La Oración que Cambia a quien Ora

*Por tanto, nosotros todos, mirando con el rostro descubierto*
*y reflejando como en un espejo*
*la gloria del Señor,*
*somos transformados de gloria en gloria en su misma imagen,*
*por la acción del Espíritu del Señor*

(2 Corintios 3:18)

Hemos mirado hacia atrás, para ver a las mujeres que históricamente han orado y confiado en Dios por sus preocupaciones. Hemos mirado hacia el exterior para ver cómo Dios está trabajando en universidades, comunidades, e incluso otras naciones mientras las madres oran para que la situación cambie en las escuelas, para que las vidas de sus hijos sean transformadas, para que los pródigos vuelvan a casa, por restauración de la salud física y emocional, y especialmente para alcanzar a los perdidos con la salvación. Pero tenemos otra dirección hacia la cual debemos mirar, posiblemente la más crítica. Debemos mirarnos interiormente para ver cómo la oración nos afecta como oradoras.

"Como la oración nos cambia, en esto yace su gloria y propósito", dice Hannah Hurnard. Lo que me ha impactado, debido a mi propio caminar en oración, en mis grupos de oración, y al escuchar las experiencias de las mujeres, muchas de las cuales son narradas en este libro, es cómo quien ora es transformado. Ciertamente durante el proceso de investigación y escritura de este libro, Dios ha trabajado dentro de mí.

Escuchar historias sobre cómo Dios ha encontrado mujeres en sus crisis y vida diaria, me ha animado y refrescado grandemente, además de renovar mi propia vida de oración. Tengo muchos asuntos viejos por los que he orado muchas, muchas veces, así como tú lo has hecho, y debido a eso de vez en cuando me siento cansada. Pero una nueva esperanza ha sido infundida en mis peticiones, y mi fe y perseverancia han sido ensanchadas al escuchar de la fidelidad de Dios. Sus historias también me han impulsado a actuar. Fui tan inspirada por lo que está sucediendo con los chicos universitarios y en los campus mientras las madres oran por ellos, que comencé un nuevo grupo de oración de madres de universitarios.

Pero así de alentadores como son estos cambios externos, se me recordó una y otra vez que aun cuando las situaciones externas no son resueltas, el Señor puede traer paz y modificar nuestro interior. La oración nos lleva al punto de que no importa qué confusión o tormenta ruja a nuestro alrededor, podemos estar tranquilas porque sabemos que Él es Dios. Mientras entramos en el proceso de la oración, con nuestra alabanza, confesión, acción de gracias e intercesión, nuestra perspectiva cambia. La alabanza levanta nuestros ojos, del problema al Vencedor, y así miramos "desde arriba" y no debajo de la carga, como Amy Carmichael dice.

Mientras entramos regularmente en la confesión, el principio de un "Corazón Limpio" opera de manera poderosa.[1] Queremos que Dios escuche las oraciones por nuestros hijos, pero aun así sabemos: *Si en mi corazón hubiera yo mirado a la maldad, el Señor no me habría escuchado,* Salmo 66:18. Entonces cuando nos allegamos a Dios y le pedimos que cree un corazón limpio y renueve un espíritu recto dentro de nosotras, Él nos muestra las áreas oscuras en las que necesitamos arrepentimiento y limpieza. Confesamos lo que Él nos muestra (orgullo, dominio, ira y crítica), y recibimos el perdón de Dios. Cuando esto se convierte en un hábito de momento tras momento, caminamos con un corazón limpio y mantenemos cuentas claras con la gente y con Dios. Sólo este aspecto de la oración produce importantes cambios en nuestra vida.

## Un Descanso Lleno de Gracia

Otro sorprendente cambio interno que he encontrado, es que mientras oramos por nuestros hijos, nos llena una gracia sobrenatural durante el proceso de abandono. Digo *sobrenatural* porque no es "natural" que las madres suelten; fuimos hechas para criar. Todas hemos escuchado ese viejo consejo de dar a nuestros hijos "raíces y alas", pero es ¡más fácil decirlo que hacerlo! El fuerte amor maternal puede hacer que nos convirtamos en controladoras y sobreprotectoras, manteniendo a nuestros hijos demasiado cerca, y obstaculizando su crecimiento hacia la madurez.

Pero por medio de la oración el proceso de abandono es lleno de gracia, tranquilidad, aceptación e incluso gozo, en lugar de apego, control y dolor. Mientras oramos por nuestros jóvenes, encontramos que aun podemos tener una gran influencia en sus vidas, sin importar la edad. La oración nos ayuda a mantener en equilibrio nuestra parte, la parte de nuestro hijo y la parte de Dios. Nos ayuda a dejar que Él trabaje en sus corazones a medida que crecen, confiando en que los protege. Luego nuestras oraciones llegan a ser verdaderamente el viento bajo sus alas.

Se me recordó vívidamente cómo esta gracia de dejar ir opera, cuando mi amiga Pat me contó acerca del terrible accidente de su hijo Tea Jay. Una noche de septiembre mientras montaba su bicicleta desde el trabajo, fue atropellado por un conductor que escapó. Su bicicleta retorcida y su cuerpo maltrecho fueron encontrados en una zanja. Estaba en condiciones críticas.

Cuando llegaron a la sala de emergencia le dijeron a Pat que su cuello estaba fracturado a nivel de la vértebra C-4, pero que aún estaba intacto, entonces no había parálisis. Él se retorcía sobre una camilla en un charco de sangre desde su oreja hasta las rodillas, la cadera cortada hasta el hueso y señales de heridas internas. La enfermera de la sala de emergencia tuvo que sostenerle la cabeza, y los brazos y piernas tuvieron que ser sujetados por pesadas correas toda la noche, porque se movía violentamente entre la consciencia y la inconsciencia.

Mientras Pat miraba las ataduras, supo que debía tomar una decisión. Tea Jay era escalador, ciclomontañista y un arriesgado a quien le encantaba la aventura. Uno de sus más grandes temores por mucho tiempo había sido que algo así le pasara. "Como esas ataduras físicas, yo sabía que podía restringirlo por el resto de su vida de las actividades aventureras que amaba, o que podía abandonarlo al cuidado del Señor y confiar en Él. Como sabía que no quería atarlo como esas correas, se lo entregué al Señor, en un acto de fe, y finalmente de libertad para ambos".

Luego de estar en la UCI con serias complicaciones, su hijo se recuperó y retomó las actividades normales. En esa primavera manejó su bicicleta desde Oklahoma hasta Colorado para trabajar en un Campamento de Vida Joven, liderando chicos de secundaria hacia la cima de una montaña en seis expediciones. Ese verano escaló el monte Rainier, montó su bicicleta a Yosemite para escalar rocas, y después promovió un viaje en bicicleta.

Aunque la familia estaba agradecida por las muchas formas como Dios había protegido a Tea Jay y restaurado su salud, ¿cómo evitó Pat estar abrumada con temor por su seguridad? Porque de maneara consciente lo había soltado esa noche en la sala de emergencia y lo cubría en oración durante sus viajes. Ella estaba llena de paz por su hijo, y decidió soltarlo con gracia y fe. "Dios no nos ha llamado a una vida de temor, y yo no deseo vivir temerosa, sino en paz porque Él protege, no sólo a Tea Jay, sino también a todos los miembros de mi familia. Dios aún es soberano", dice ella.

## Equipadas con Esperanza

Pablo debió haber tenido a las madres en mente cuando aconsejó no cansarnos de hacer el bien. A veces sentimos como si estuviéramos en una cueva oscura sin una linterna, y cuando la situación continúa sin descanso o solución, aún experimentamos *la esperanza que se demora [y que] es tormento del corazón*, como dice Proverbios 13:14. Pero cuando podemos vislumbrar lo que Dios está haciendo, esto nos equipa y anima.

Durante los años de oración por sus tres hijos, mi amiga Peggy ha sentido el tormento de la esperanza demorada más veces de las que quiere recordar. Pero ella también se regocija por las veces que Dios ha calmado gratamente el dolor de su corazón, y de manera dulce ha vuelto a centrar su esperanza sólo en Él.

Una ocasión como esta vino al final del primer año de Josh en la universidad. Aunque su hijo, un adolescente, había participado en muchos tiempos de alabanza en familia, se había vuelto "testarudo y precipitado, por una aventura con el mundo". Sus preocupaciones hicieron que ella clamara a

Dios con profunda confusión interior un día de primavera. Derramó sus temores, inquietud y aflicción, y oró para que su Espíritu lo guiara a un profundo arrepentimiento. También pidió que de una u otra forma le indicara si estaba trabajando en la vida de su hijo.

Ese mismo día Dios le respondió a través de las propias palabras de su hijo. Sin ella saberlo, él había planeado llevarla a comer por ser el día de la madre. Aquella noche se abrió con ella de una forma como nunca antes lo había hecho, compartiéndole algunos de sus más profundos pensamientos. Mientras se los contaba, era obvio que el Espíritu Santo había estado trabajando constantemente detrás de todo lo que ella veía en la superficie. Su corazón se derritió ante la bondad de Dios premitiéndole ver un reflejo de su obra fiel. Aunque Josh le dijo que él aún no estaba listo para rendirse completamente a Dios, Él le había respondido ese día, asegurándole que nosotras no oramos en vano.

## De la Depresión a la Alabanza

*Estoy hundido en cieno profundo, donde no puedo hacer pie; he llegado hasta lo profundo de las aguas y la corriente me arrastra. Cansado estoy de llamar... han desfallecido mis ojos esperando a mi Dios,* dice el salmista (Salmo 69:2-3). La salida de tal depresión es larga y ardua. Pero muchas mujeres han encontrado que entrar en una oración regular semanal con otra mujeres puede sacarlas de la depresión, y abrir ventanas de fortaleza y oportunidades.

Cuando Deanna se mudó a Seattle, estaba en un severo estado de depresión. Debido a su trabajo, su esposo ya se había mudado, pero ella y sus dos hijos pequeños se habían quedado para vender la casa. Cuando se reunieron de nuevo como familia, habían estado separados mucho durante los últimos 18 meses, y él era como un extraño para los niños. El matrimonio luchaba, y ella se sentía exhausta por tener que cuidar dos pequeños sola. Cuando su hijo mayor entró a la escuela pública en Seattle, Deanna escuchó de otra madre acerca de Madres Unidas Para Orar.

"Yo estaba deshecha en ese punto", dice ella. "Estaba profundamente deprimida, y estas tres madres y yo nos reuniríamos a orar una hora por nuestro hijos. Luego ellas orarían por mí y todo seguiría igual".

La disciplina de orar por otros durante ese tiempo semanal de oración le ayudó a entrar a la presencia de Dios, quien comenzó a sanar su depresión y a levantar gradualmente sus pesadas cargas mientras ella era obediente orando por sus hijos, escuela y profesores. Al final del año le pidieron que liderara el grupo. "No puedo liderar", protestó, pero la líder persistió. A Deanna le tomó una semana preparar un devocional de cinco minutos para la primera reunión, pero creció y llegó a estar más segura, pues finalmente sirvió como coordinadora de área y como parte del grupo de 6 miembros de Madres Unidas Para Orar en el estado de Washington.

Sin embargo, algunas veces aún sufría de ataques depresivos. Estando en un punto muy crítico, llamó a Diane, otra coordinadora, y le preguntó: "¿Cómo logro salir de esto?"

"Debes aprender a alabar al Señor, querida", le aconsejó Diane.

Como Deanna se sentía tan deprimida que no podía organizar una oración, alabar a Dios ni generar nada de ella, comenzó a escuchar música de alabanza y a escudriñar las Escrituras.

Cuando leyó Habacuc 3:17-19, que *aunque la higuera no florezca ni en las vides haya frutos,* o comida, *yo me alegraré en Jehová*, dio un giro, pues había entendido que su alabanza no podía estar basada en sus sentimientos, sino en quién es Dios. Decidió que pasara lo que pasara ella lo alabaría. Cuando llegó a estar más agradecida, se volvió menos malgeniada. El tiempo de arrepentimiento en su grupo de oración le ayudó a mantenerse al día en su confesión y a recibir la limpieza de Dios. Su sonrisa reapareció gradualmente y seis meses después, volvió a reír, y el canto retornó a su corazón.

Cuando la coordinadora del estado se retiró, le pidieron a Deanna que tomara su lugar. Durante ese par de años, Dios la había preparado mientras trabajaba en la compañía de su esposo como gerente de una oficina, en la cual aprendió las técnicas necesarias para entrenar y coordinar líderes de área, y grupos de Madres Unidas Para Orar. Aunque sigue enfrentando dificultades, tiene el apoyo en oración de otras mujeres. Dios la ha sacado del hoyo de la depresión, la ha fortalecido en su interior y ha puesto sus pies sobre la Roca.

## Un Intercambio Divino

El primer milagro de Jesús fue transformar el agua en vino en una fiesta de bodas. De hecho, Jesús siempre generó cambio, dondequiera iba. Él sanó enfermos, perdonó pecados, escogió a quienes los judíos y el orden social y religioso establecido rechazaban, derribó las mesas de los mercaderes en el templo, y llevó personas sencillas a puestos de honor. De manera similar cuando nos le acercamos en oración, Él opera un cambio divino. El temor y la ansiedad son reemplazados por la fe y una más grande confianza en Dios, y la pesadez y la depresión por una actitud de alabanza. Nuestra queja o susceptibilidad se convierten en acciones de gracias. La desesperación y el desánimo son transformados por la esperanza. De manera creciente nuestros corazones son limpiados y alterados a medida que nos damos cuenta de que debemos estar bien delante de Dios y los demás, para entrar al trono con nuestras peticiones.

"Orar es cambiar. Esta es una gracia inmensa", dice Richard Forester. "Cuán bueno es de parte de Dios, que provea una senda a través de la cual nuestra vida puede ser tomada por su amor, gozo, paz, paciencia, benignidad, bondad, fe, mansedumbre y templanza".[2] ¡Qué experiencia más maravillosa cuando Dios nos cambia! Porque lo más importante que sucede durante la oración es que nuestros ojos son afianzados en Él, el dador, en lugar de en los regalos que pedimos, y descubrir que no importa cuándo o cómo son respondidas nuestras oraciones, Él es nuestra recompensa.

"La oración ensancha el corazón hasta que puede abarcar el regalo de Dios que es Él mismo", dijo la Madre Teresa. La oración, de hecho, es una relación de amor creciente y continua con Dios a través del Padre, el Hijo y el Espíritu Santo.[3] Cuando el Señor Jesucristo llega a ser el enfoque de nuestra vida, los ojos de nuestro corazón son abiertos, y vemos con más claridad su fidelidad y bondad. "Siempre que un hombre se vuelve al Señor, el velo es quitado", o como dice *The Message* (El Mensaje), una versión en inglés de la Biblia: "Nada entre nosotros y Dios, nuestros rostros brillando con el resplandor de su faz" (2 Corintios 3:16). Cuando caminamos con Él, hablamos con Él y lo contemplamos diariamente en nuestras vidas, llega la transformación. Somos acercados a Él entre más entremos en su presencia para interceder por otros, y su presencia está llena de gozo.

El Señor promete: *Entonces me invocaréis. Vendréis y oraréis a mí, y yo os escucharé. Me buscaréis y me hallaréis, porque me buscaréis de todo vuestro corazón*(Jeremías 29:12-13). Cuando lo encontramos a Él, nuestro Padre, Poderoso Dios, el Rey de Reyes quien es nuestro Salvador y amigo, nuestros corazones pueden descansar.

Y cuando lleguemos al cielo, entonces sabremos verdaderamente todo lo que Él hizo a través de nuestras oraciones.

*Señor, oro para que tú nos animes y fortalezcas.*
*Danos un corazón fuerte y amplio*
*para creer cuán poderosa influencia pueden ejercer*
*nuestras oraciones.*
*Concédenos la gracia para que persistente, intensa,*
*y esperanzadamente continuemos orando y esperando en ti.*
*Ayúdanos a ver todo en la avasalladora luz de*
*que tú eres amor,*
*y danos la fe para creer. Que mientras te busquemos,*
*te encontraremos a ti*
*¡el Dios de toda esperanza!*

*En el nombre de tu Hijo. Amén.*

# Notas

### Capítulo Dos

1. La Biblia Viviente
2. Ibid.
3. *The Possibilities Of Prayer* (Las Posibilidades de la Oración) por E.M. Bounds, (Springdale, Pa.: Whitaker House, 1994), Pág. 87.
4. *Gift from the Sea* (Regalo del Mar) por Anne Morrow Lindergh, (N.Y.: Rondom House, 1995), Pág. 28.
5. *Praying the Scriptures: Communicating with God in His Own Words* (Orando las Escrituras: Comunicándose con Dios en sus Propias Palabras), por Judson Cornwall, (Lake Mary, Fla.: Creation House, 1988), Pág. 15.

### Capítulo Tres

1. *Prayer: Finding the Heart's True Home* (La Oración, Encontrando el Verdadero Hogar del Corazón), por Richard Foster, (N.Y.: HaperCollins Publishers, 1992), Pág. 11.
2. Ibid., Pág 12.
3. Mis agradecimientos a Bárbara Sorrel, una madre de Tulsa, Oklahoma, por compartir conmigo su entendimiento sobre la oración a través de las etapas del desarrollo en la vida de un hijo.

### Capítulo Cuatro

1. *Adventures in Prayer* (Aventuras en la Oración) por Catherine Marshall, (N.Y.: Ballantine Books, 1975), Pág. 64.
2. *Prayer* (Oración), por O. Hallesby, (Minneapolis: Augsburg Press, 1994; edisión original, 1931), Págs. 18-19, 27.
3. *Ibid.*, Pág. 19.
4. *Ibid.*, Pág. 20.

### Capítulo Cinco

1. *Prayer: Conversing with God* (Oración: Conversando con Dios), por Rosalind Rinker (Grand Rapids: Zondervan Publishing House, 1959), Pág. 43.

2. Ibid., Pág. 42.
3. *Heart to Heart*7 no. 4 (De Corazón a Corazón 7 No. 4), por Fern Nichols, (Invierno 1995), Pág. 1.

**Capítulo Seis**

1. *Praying the Scriptures* (Orando las Escrituras), por Cornwall, Pág 72.
2. *Great Women of Christian Faith* (Grandes Mujeres de la Fe Cristiana), por Edith Deen (Westwood, N, J.: Barbour and Company, 1959), Pág. 23.
3. Ibid., Pág. 23.
4. *Christian History*15 (Historia Cristiana 15), No. 4 "Empujando Hacia Adentro", Págs. 10-11.

**Capítulo Siete**

1. *Adventures in Prayer* (Aventuras en la Oración), por Marshall, Pág. 51.
2. Ibid., 48.
3. Ibid., 59.
4. Génesis 22:14.
5. Exodo 15:26.
6. Exodo 17:15.
7. Ezequiel 48:35.
8. Luego de incubar un par de mis propias oraciones por mis adolescentes, llegué a la idea de cortar la petición en forma de huevo según el maravilloso y pequeño libro de Catherine Marshall *Adventures in Prayer* (Aventuras en la Oración, Pág. 47), una idea que le fue sugerida a ella en los escritos del Dr. Glenn Clark. Él dijo que "parte de nuestro problema en la oración por nuestros hijos es la demora, es decir, la necesaria pero lenta maduración de nuestras oraciones. Pero ese es el ritmo de Dios en la naturaleza". Yo recomiendo grandemente esta idea para aquellas de nosotras que estamos "esperando".

**Capítulo Ocho**

1. *Webster's Seventh New Collegiate Dictionary* (Séptimo Nuevo Diccionario Universitario Webster).

2. *The Coming Revival: America's Call to Fast, Pray, and "Seek God's Face"* (El Avivamiento que Viene, un Llamado a Ayunar, Orar y Buscar el Rostro de Dios), por Bill Bright (Orlando: New Life Publication, 1995), Págs. 82-86.

3. *How to Pray* (Cómo Orar), por R.A. Torrey, (Springdale, Pa.: Whitaker House), 1983, Págs. 96-105.

4. *The Ministry of Intercessory Prayer* (El Poder de la Oración Intercesora), por Andrew Murray (Minneapolis: Bethany House Publishers, 1981), Págs. 110.

5. *Imprimis* (en primer lugar) 20, no. 9 "America's Youth: A Crisis of Character" ("Juventud de América: Una Crisis de Carácter"), Septiembre 1991, Pág. 1.

6. *Reader's Digest* "Drugs Are Back-Big Time" (Las Drogas Están de Regreso), por Daniel R. Levine, Págs. 71-76.

7. *Imprimis* (En primer lugar), por Coats, Pág 1 .

8. *The Coming Revival* (El Avivamiento que Viene), por Bill Bright, Pág. 34.

9. Lamentaciones 2:19.

10. "Nashiville Students Claim Suburban Schools for Jesus with Daily Prayer" (Los Estudiantes de Nashiville Reclaman las Escuelas Suburbanas para Jesús con Oración Diaria), *Charisma* (Carisma), Noviembre 1996, Págs. 31-32.

11. *Mighty Prevaling Prayer* (Oración Prevaleciente Poderosa), por Wesley L. Duewel (Grand Rapids: Zondervan Publishing House, 1990), Pág. 257.

12. *Mighty Prevaling Prayer* (Oración Prevaleciente Poderosa), citado por Duewel, Pág. 135.

13. *My Utmost for His Highest* (En Pos de lo Supremo), por Oswald Chambers, edición especial actualizada, James Reimann (Nashville, Tenn.: Discovery House, Thomas Nelson Publishers, 1995).

14. *Mighty Prevaling Parayer* (Oración Prevaleciente Poderosa), por Duewel, Pág. 18.

**Capítulo Nueve**

1. *Adventures in Prayer* (Aventuras en Oración), por Marshall, Pág. 48.

2. *Mighty Prevaling Prayer* (Oración Prevaleciente Poderosa), por Duewel, Pág. 152.
3. *With Christ in the School of Prayer* (Con Cristo en la Escuela de la Oración), por Andrew Murray (Springdale, Pa.: Whitaker House, 1981), Pág. 119

**Capítulo Diez**

1. *Focus on the Family broadcast* (programa radial, Enfoque a la Familia), Dr. Richard Stevens y Dr. Jay Kesler, Febrero 1997.
2. *Family Research Council Newsletter* (Boletín del Concilio de Investigación de la Familia), marzo 3, 1997, Pág. 2.
3. *"Findding Another College Mom"* (Encontrando otra Madre de Universitario), por Lydia Harris, material enviado a aquellas interesadas en comenzar o participar en un grupo universitario de Madres Unidas Para Orar.

**Capítulo Once**

1. *"Intercessory Prayer"* (Oración Intercesora), por Evelyn Christenson, volumen 17 de la serie de casetes *Pastor to Pastor* (De Pastor a Pastor) de Enfoque a la Familia.
2. *The Quilt* (La Colcha), por T. Davis Bunn (Minneapolis: Bethany House Publishers, 1993), Págs. 90-91.

**Capítulo Doce**

1. *I Belong to Jesus* "I Long for the Day" (Pertenezco a Jesús "Anhelo el Día"), por Dennis Jernigan, volumen 2 Ó Shepherd's Heart Music (Música del Corazón del Pastor), 1993.

**Capítulo Trece**

1. *How to Pray* (Cómo Orar), por Torrey, Pág. 13.
2. *Mighty Prevaling Prayer* (Oración Prevaleciente Poderosa), por Duewel, Pág. 132.
3. Ibid.

**Capítulo Catorce**

1. El nombre del país y los verdaderos nombres de la gente involucrada en esta historia, no pueden ser usados por las seguridad de estos pastores y hermanas en el Señor.
2. *Edges of His Ways: Selections for Daily Readings* (Bordes de su

Caminos: Selecciones de Lectura Diaria), por Amy Carmichael (Fort Washington, Pa.: Christian Literature Cruzade, 1975), 21.

**Capítulo Quince**

1. *What Prayer Can Do* (Lo que la Oración Puede Hacer), por Lucien Aigner (Garden City, N.Y.: Double Way and Company, Inc., 1953), Págs. 22-23

2. *Candles in the Dark* (Velas en la Oscuridad), por Amy Carmichael (Fort Washington, Pa.: Christian Literuture Crusade, 1981), Pág. 35.

**Capítulo Dieciséis**

1. *The Bulletproof George Washington* (El George Washington a Prueba de Balas), por David Barton, (Aledo, Tex.: WallBuilder Press, 1990), Pág. 23.

2. Del sermón, por Dennis Baw, pastor de la Iglesia Bautista de Glenview en Ft. Texas.

3. *The Bulletproof George Washington* (El George Washington a Prueba de Balas), por Barton, Pág. 49.

4. Ibid., Pág. 47.

5. *John Newton*, por Catherine Swift, (Minneapolis: Bethany House Publishers, 1991), Págs. 94-95.

6. *Mighty Prevaling Prayer* (Oración Prevaleciente Poderosa) por Duewel, Págs. 151-152.

7. *Great Women* (Grandes Mujeres), por Deen, Págs. 275-277.

8. Ibid., 277.

9. *Mothers of the Saints: Portraits of Ten Mothers of the Saints and Three Saints Who Were Mothers* (Madres de Santos: Retratos de 10 Madres de Santos y Tres Santas que fueron Madres, por Wendy Leifeld (Ann Arbor, Mich.: Servant Publications, 1991), Pág. 132.

10. An Ordinary Woman's Extraordinary Faith: The Autobiography of *Patricia St. John* (La Extraordinaria Fe de una Mujer Ordinaria: La Autobiografía de Patricia St. John), por Patricia St. John (Wheaton, Ill.: Harold Shaw Publishers, 1993), Pág. 78.

11. Ibid., Págs. 19-20.

12. *How to Pray* (Cómo Orar), por Torrey, Pág. 20.

13. Ibid., Pág. 19-20.
14. *In Touch Ministries* letter (Carta de Ministerios en Contacto), por Charles Stanley, mayo 1992, Págs. 1-2.
15. “The Hiding Place”, *Eerdmans Book of Famous Prayer* (“El Refugio”, El Libro de Oraciones Famosas de Eerdmans), por Corrie ten Boom, (Grand Rapids: William B. Eerdmans Publishing Company, 1983), Pág. 88.
16. “In Weariness” *Eerdmans Book of Famous Prayer* (“En Cansancio”, El Libro de Oraciones Famosas de Eerdmans), por Christina Rosetti, Pág. 78.

**Capítulo Diecisiete**

1. *Possessing the Gates of the Enemy: A Handbook on Militant Intercession* (Poseyendo las Puertas del Enemigo: Un Manual de Oración Militante), por Cindy Jacobs (Grand Rapids: Chosen/Baker Book House, 1991), Págs. 40-47.
2. *Prayer* (Oración), por Foster, Pág. 6.
3. Ibid.

# Libros Recomendados Sobre la Oración

Bounds, E.M., *Las Posibilidades de la Oración,* de Libros CLIE, 1981. Este libro va al corazón de la oración. En él, Bounds comparte las maravillas del poder de Dios en la oración, la oración en la historia, la relación entre la provisión y providencia de Dios y los milagros a través de la oración.

Bright, Bill. *El Avivamiento Que Viene, un Llamado a Orar, Ayunar y Buscar el Rostro de Dios, de* Editorial UNILT, 1996. Este libro es un llamado al arrepentimiento y la oración, actos necesarios para traer un avivamiento personal y a nuestra nación.. Incluye los secretos de una vida de oración exitosa, las formas de prepararse y emprender un ayuno, y cómo dirigir a la congregación en un tiempo de oración y ayuno.

Christenson, Evelin. *¿Qué Sucede Cuando las Mujeres Oran?, de* Libros CLIE, 1978. Con enseñanzas prácticas de seminarios de oración que la autora dirigió en todo el mundo, este es un libro bíblico y realista, para estudio personal, e incluye muchas ayudas para oración en grupo.

Duewel, Wesley L. *La Oración Poderosa que Prevalece, de* Editorial UNILIT, 1995. Un libro motivador y completo sobre oración persistente y prevaleciente, oración militante y guerra espiritual. Es una excelente guía sobre cómo orar más efectivamente y cómo responder al llamado de Dios a la intercesión.

Heald, Cynthia. *Un Estudio Bíblico sobre Cómo Llegar a Ser una Mujer de Oración,* de Editorial UNILIT, 1998. Con citas clásicas sobre la oración, reflexiones de la autora que hacen pensar y sugerencias para memorizar versículos, esta es una excelente fuente de estudio bíblico personal o en grupo.

Jacobs, Cindy. *Conquistemos las Puertas del Enemigo, Instrucciones para una Intercesión Militante,* de Editorial Caribe, 1993. Ya sea que seas un orador principiante o un intercesor experimentado, encontrarás en este libro valiosa ayuda para la guerra espiritual y la intercesión.

Murray, Andrew. *El Ministerio de la Oración Intercesora,* de Editorial Caribe, 1985. Este es un manual clásico y práctico sobre la oración intercesora con estímulos sobre la oración y una mina de oro con instrucciones bíblicas. En la última parte del libro hay un curso de 30 días de estudio sobre cómo practicar la intercesión.

Murray, Andrew. *La Escuela de la Oración,* de Libros CLIE, 1987. Uno de los clásicos de la oración más amados y conocidos. Este libro enseña cómo prepararse para el más alto llamado que Cristo le dio a la Iglesia, el llamado a la oración intercesora.

# Acerca de la Autora

Cheri Fuller es autora de 18 libros sobre temas relacionados con los hijos, las mujeres, la familia y el aprendizaje, pero además una gran motivadora y desafiante conferencista. Ella es una editora colaboradora de *Today's Christian Woman* (La mujer Cristiana de Hoy), y sus artículos aparecen regularmente en *Focus on the Family* (Enfoque a la Familia), *ParentLife* (Vida de Padres) y *Living with Teenagers* (Viviendo con Adolescentes). Cheri ha sido invitada con frecuencia a *Focus on the Family* (Enfoque a la Familia), la cadena *Midday Connection* (Conexión de Mediodía) de Moody, y *Open Line* (línea Abierta), el Club 700, y numerosas emisoras a través del país. Como ex maestra, le encanta inspirar a otros cuando habla en retiros para damas y seminarios para los padres. Cheri y su esposo, Holmes, tienen tres hijos ya grandes y viven en Oklahoma City, Oklahoma.

Para contactar a Cheri como conferencista,
comuníquese a la siguiente dirección:

Alive Comunication, Inc.
1465 Kelly Johnson Blvd., Suite 320
Colorado Springs, CO 80920
(719) 260 7080; Fax: (719) 260 8223

# Acerca de la Autora